세상이 변해도
배움의 즐거움은
변함없도록

시대는 빠르게 변해도
배움의 즐거움은
변함없어야 하기에

어제의 비상은
남다른 교재부터
결이 다른 콘텐츠
전에 없던 교육 플랫폼까지

변함없는 혁신으로
교육 문화 환경의 새로운 전형을
실현해왔습니다.

비상은 오늘, 다시 한번
새로운 교육 문화 환경을 실현하기 위한
또 하나의 혁신을 시작합니다.

오늘의 내가 어제의 나를 초월하고
오늘의 교육이 어제의 교육을 초월하여
배움의 즐거움을 지속하는 혁신,

바로, 메타인지 기반 완전 학습을.

상상을 실현하는 교육 문화 기업 비상

메타인지 기반 완전 학습
초월을 뜻하는 meta와 생각을 뜻하는 인지가 결합한 메타인지는
자신이 알고 모르는 것을 스스로 구분하고 학습계획을 세우도록 하는
궁극의 학습 능력입니다. 비상의 메타인지 기반 완전 학습 시스템은
잠들어 있는 메타인지를 깨워 공부를 100% 내 것으로 만들도록 합니다.

내신 성적을 쑥쑥~ 올리는!!

내공의 힘

중등역사
2·1

STRUCTURE 구성과 특징

내공 ① 단계 | 차근차근 내용 짚기

핵심 개념만 뽑아 단기간에 공략! 꼭 알아 두어야 할 교과 내용을 표와 시각 자료로 이해하기 쉽게 정리하였습니다.

내공 ② 단계 | 개념 확인하기

핵심 개념을 잘 이해하였는지 확인하는 단계! 학습한 내용을 바로바로 확인할 수 있도록 단답형 문제로 구성하였습니다.

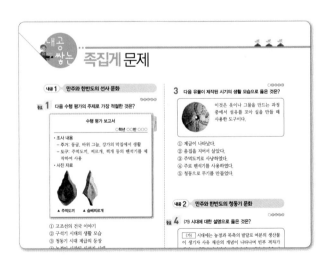

내공 ③ 단계 | 내공 쌓는 족집게 문제

내신에 강해지는 길은 기출 문제를 많이 풀어 보는 것! 학교 기출 문제를 철저히 분석하여 출제 가능성이 높은 유형의 문제들로 구성하였습니다.

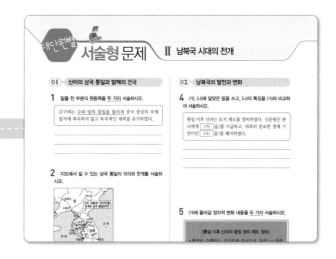

내공 점검 | 내공 **5** 단계

마지막 최종 점검 단계! 지금까지 쌓은 내공을
모아모아 실력을 최종 점검할 수 있도록 대단원
별로 실전 문제를 구성하였습니다. 단원 통합형
문제와 서술형 문제로 내신 만점을 확실하게 준
비할 수 있습니다.

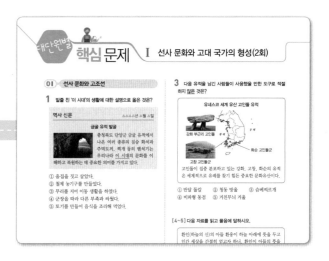

서술형 문제 | 내공 **4** 단계

교과서 핵심 주제와 자료를 선별하여 학교 시험
에 자주 출제되는 유형의 서술형 문제로 구성하
였습니다.

금성	동아	천재	지학사
10 ~ 15	12 ~ 17	12 ~ 19	10 ~ 17
16 ~ 19	18 ~ 21	20 ~ 23	18 ~ 21
20 ~ 29	24 ~ 33	24 ~ 33	24 ~ 31
30 ~ 37	36 ~ 41	34 ~ 41	32 ~ 39
44 ~ 49	48 ~ 53	46 ~ 53	44 ~ 50
50 ~ 55	56 ~ 63	54 ~ 59	52 ~ 59
56 ~ 61	66 ~ 69	60 ~ 71	60 ~ 69
68 ~ 75	76 ~ 81	78 ~ 83	74 ~ 81
76 ~ 79	84 ~ 85	84 ~ 87	84 ~ 86
80 ~ 85	86 ~ 87 90 ~ 93	88 ~ 95	87 ~ 94
86 ~ 93	96 ~ 101	96 ~ 105	96 ~ 100

Textbook

Contents 차례

Ⅲ 고려의 성립과 변천

내공 점검

CONTENTS

01 선사 문화와 고조선

내공 1 만주와 한반도의 선사 문화

1 구석기 문화

(1) 시기: 약 70만 년 전부터 시작

(2) 기후: 추운 빙하기와 따뜻한 간빙기가 반복됨

(3) 도구: 짐승의 뼈로 만든 도구와 뗀석기(찍개·주먹도끼, 긁개·밀개, 슴베찌르개·돌날) 사용
└ 돌을 깨뜨리거나 떼어내서 만든 석기야.

슴베 부분을 자루에 연결해 창처럼 사용하였어.

▲ 주먹도끼

▲ 슴베찌르개

(4) 유적: 평안남도 상원 검은모루 동굴, 경기도 연천 전곡리 등

(5) 생활 모습
└ 연천 전곡리에서 출토된 주먹도끼는 아슐리안 계통으로 동아시아에서도 발달된 구석기 문화가 있었음을 증명해.

경제	채집, 사냥, 물고기 잡이 → 먹을 것을 찾아 이동 생활
주거	동굴, 바위 그늘, 막집
신앙·예술	• 시체 매장 • 무리의 번성과 풍요로운 식량 획득을 기원하며 고래나 물고기 모양의 조각품 제작
사회	빈부 차이나 계급이 없는 평등 사회

2 신석기 문화

(1) 시기: 약 1만 년 전(기원전 8000년경)에 시작

(2) 기후: 따뜻해짐 → 숲이 우거지고 작고 날쌘 동물들 증가

(3) 도구: 간석기(돌낫, 돌보습, 갈돌, 갈판 등), 토기(음식물의 조리와 저장에 사용, 빗살무늬 토기·덧무늬 토기 등), 가락바퀴·뼈바늘(옷이나 그물 제작)
└ 돌을 정교하게 갈아서 만든 석기야.

▲ 갈돌과 갈판

▲ 빗살무늬 토기

▲ 가락바퀴

(4) 유적: 강 유역 및 해안 지역(서울 암사동 등)

(5) 생활 모습
└ 조, 피, 기장 등을 재배하고, 돼지, 염소 등을 길렀어.

경제	농경과 목축의 시작 → 정착 생활
주거	움집
신앙·예술	• 특정 동물을 숭배(토테미즘), 태양·물·바위 등의 자연물에 영혼이 있다고 믿음(애니미즘), 씨족 우두머리를 중심으로 조상 숭배 • 얼굴 모양 조개껍데기 등 장신구 제작
사회	씨족 단위로 공동 작업해 식량 생산, 빈부 차이나 계급이 없는 평등 사회
└ 땅을 50~100cm 깊이로 판 후 기둥을 세우고, 갈대나 억새 등의 풀로 지붕을 만들었어. 가운데에는 불을 지필 수 있는 화덕을 두었어.

내공 2 만주와 한반도의 청동기 문화

1 청동기 문화의 보급
└ 청동은 구리와 주석, 아연 등의 합금으로, 열을 가하여 녹인 후 청동기를 제작하였어.

(1) 시기: 기원전 2000~기원전 1500년경에 보급

(2) 청동기: 지배층의 장신구, 제사용 도구, 무기 등 제작(비파형 동검, 거친무늬 거울, 청동 방울)

(3) 생활 도구: 간석기(농사에 사용, 반달 돌칼)·토기(민무늬 토기, 미송리식 토기) 사용, 고인돌·돌널무덤 제작
└ 청동기는 재료를 구하기 힘들고 단단하지 못해서 농기구는 여전히 돌로 만들었어.

▲ 반달 돌칼
└ 곡식의 이삭을 자르는 도구야.

2 사회 변화

(1) 농업 발달: 조, 피, 보리 등 잡곡 재배, 벼농사 시작

(2) 계급 사회의 성립: 농경과 목축의 발달로 생산력 증가 → 인구 증가, 빈부 격차와 계급 발생

(3) 군장의 성장: 군장이 부족 통솔·제사 주관 → 식량을 둘러싼 집단 간의 싸움(전쟁) 빈번 → 유력한 정치 세력 등장, 군장의 세력 강화
└ 제정일치 사회야.
└ 농사와 전쟁에 유리한 나지막한 언덕에 울타리나 도랑 등 방어 시설을 갖춘 마을이 생겨났어.

◀ 탁자식 고인돌 | 고인돌은 지배층의 무덤으로, 제작에 많은 노동력이 필요하였기 때문에 당시 강력한 권력을 가진 지배자가 있었음을 짐작할 수 있다.

내공 3 고조선의 성립

1 고조선의 건국

(1) 건국: 청동기 시대에 우리 역사상 최초의 국가 건국
┌ 홍익인간 이념

> 환인(하늘의 신)의 아들 환웅이 하늘 아래에 뜻을 두고 인간 세상을 간절히 얻고자 하니, 환인이 아들의 뜻을 알고 아래의 삼위태백을 보자 널리 인간을 이롭게 할 만하였다. …… (환웅은) 풍백, 우사, 운사(각각 바람, 비, 구름을 다스리는 신하)와 함께 곡식, 수명, 질병, 형벌, 선악 등 인간 세상의 360여 가지의 일을 다스리게 하였다. 당시 곰 한 마리와 호랑이 한 마리가 같은 굴에 살았는데, 사람이 되고 싶어서 환웅에게 빌었다. …… 곰은 21일 동안 쑥과 마늘을 먹으며 햇빛을 보지 않는 것을 지켜 여자의 몸(웅녀)이 되었다. …… 환웅이 웅녀와 혼인하여 아들을 낳으니 이름을 단군왕검이라고 하였다. 단군왕검은 아사달에 도읍을 정하고 나라 이름을 조선이라고 불렀다.
> – 일연, 「삼국유사」

▲ 고조선의 건국 이야기 | 농경 사회, 제정일치, 특정 동물 숭배, 부족 간의 연맹 등 청동기 시대의 사회상과 홍익인간의 건국 이념을 보여 준다.

(2) 단군왕검: 단군은 제사장, 왕검은 정치적 우두머리를 의미 → 제정일치 사회의 지배자

(3) 위치: 라오닝 지방에서 건국, 성장 → 이후 한반도 북서부의 대동강 유역으로 중심지 이동

▲ 비파형 동검
중국의 동검과 달리 칼날과 칼 자루를 따로 만들어 조립해 썼어.

▲ 고조선의 문화 범위 | 비파형 동검, 탁자식 고인돌의 분포 지역으로 고조선의 문화 범위를 알 수 있다.

2 고조선의 발전

(1) 고조선의 성장

① 철기 문화 보급: 기원전 5~4세기경 중국에서 전국 시대의 혼란을 피해 고조선으로 이주한 유이민이 보급 → 청동기 제작 기술도 발달
비파형 동검은 한국식 동검인 세형 동검으로, 거친무늬 거울은 잔무늬 거울로 발전하였어.

② 세력 확장: 기원전 4세기경 '왕'이라는 칭호 사용, 중국의 연과 맞설 정도로 성장, 연의 침입을 받기도 함

③ 정치 체제 정비: 상·대부·장군 등 관직 설치, 왕위 세습

(2) 위만의 집권과 고조선의 발전

① 위만의 집권: 기원전 2세기경 진·한 교체기에 고조선에 들어온 위만이 준왕을 몰아내고 왕위 차지(기원전 194)

② 고조선의 발전: 철기 문화 본격 수용, 중국의 한과 한반도 남쪽 나라들 사이에서 중계 무역으로 경제적 이익을 얻음

3 고조선의 사회

(1) 발전: 사회가 복잡해지고 다양한 신분층 형성

(2) 법 제정: 8조법 등 엄격한 법률을 통해 사회 질서 유지

사람을 죽인 자는 바로 사형에 처하고, 남에게 상해를 입힌 자는 곡물로 배상하게 한다. 남의 물건을 훔친 자는 그 집의 노비로 삼으며, 속죄하려고 하는 자는 1인당 50만 전을 내게 한다.
└ 사유 재산 인정
─ 반고, 『한서』

▲ 고조선의 8조법 | 고조선이 생명과 노동력을 중시하고, 농경 사회였으며, 사유 재산을 인정하고, 노비가 존재하는 신분제 사회였음을 알 수 있다.

4 한의 침입과 고조선의 멸망

(1) 한의 침입: 한 무제가 고조선 침략
삼한의 형성과 발전에 영향을 끼쳤어.

(2) 고조선의 멸망: 1년여 동안 저항하다 지배층의 분열로 왕검성 함락, 멸망(기원전 108) → 고조선 유민의 남쪽 이주

(3) 한 군현의 설치: 한이 고조선의 옛 땅에 군현을 설치 → 토착민의 저항, 여러 나라의 성장으로 소멸

---

1 다음 설명에 해당하는 유물을 〈보기〉에서 골라 기호를 쓰시오.

• 보기 •
ㄱ. 가락바퀴   ㄴ. 주먹도끼
ㄷ. 반달 돌칼   ㄹ. 비파형 동검

(1) 고조선의 문화 범위를 알려 주는 청동기 시대 유물
(   )

(2) 청동기 시대에 곡식의 이삭을 자르는 데 사용되었던 농기구
(   )

(3) 동아시아에 발달된 구석기 문화가 있었음을 보여 주는 유물
(   )

(4) 신석기 시대에 옷이나 그물을 만들어 이용하였음을 보여 주는 유물
(   )

2 한반도에서 출토되는 신석기 시대의 토기를 쓰시오.

3 (   )은 청동기 시대 지배층의 무덤으로, 많은 노동력을 동원해야 제작할 수 있으므로 이를 통해 당시 강력한 지배자가 있었음을 알 수 있다.

4 다음 설명이 맞으면 ○표, 틀리면 ✕표를 하시오.

(1) 청동기 시대에는 청동으로 농기구를 만들어 사용하였다.
(   )

(2) 청동기 시대는 군장이 부족을 통솔하고 제사를 이끄는 제정일치 사회였다.
(   )

(3) 고조선은 한 무제의 침략으로 멸망하였다. (   )

(4) 고조선의 건국 이야기가 삼국유사에 실려 있다.
(   )

5 고조선을 세운 (   )은 제사장과 정치적 우두머리의 지위를 갖는 지배자이다.

6 다음 괄호 안의 내용 중 알맞은 말에 ○표를 하시오.

(1) (구석기, 신석기) 시대에 농경이 시작되었다.

(2) 구석기 시대 사람들은 돌을 깨뜨려 만든 (간석기, 뗀석기)를 사용하였다.

(3) 고조선은 위만이 집권한 후 (철기, 청동기) 문화를 본격적으로 수용하였다.

족집게 문제

내공1 만주와 한반도의 선사 문화

중요 **1** 다음 수행 평가의 주제로 가장 적절한 것은?

> 수행 평가 보고서
>
> ○학년 ○○반 ○○○
>
> • 조사 내용
> – 주거: 동굴, 바위 그늘, 강가의 막집에서 생활
> – 도구: 주먹도끼, 찌르개, 찍개 등의 뗀석기를 제작하여 사용
> • 사진 자료
>
>
>
> ▲ 주먹도끼   ▲ 슴베찌르개

① 고조선의 건국 이야기
② 구석기 시대의 생활 모습
③ 청동기 시대 계급의 등장
④ 농경이 시작된 신석기 시대
⑤ 철기 문화를 본격 수용한 고조선

2 밑줄 친 '이것'에 해당하는 유물로 옳은 것은?

> 이것은 겉면에 빗살무늬를 새겨 넣은 것으로, 움집 유적에서 간석기와 함께 출토되었다. 당시 사람들은 이것을 이용하여 음식을 조리하고, 식량을 저장하였다.

①   ②  ③

④   ⑤

3 다음 유물이 제작된 시기의 생활 모습으로 옳은 것은?

>  이것은 옷이나 그물을 만드는 과정 중에서 섬유를 꼬아 실을 만들 때 사용한 도구이다.

① 계급이 나타났다.
② 움집을 지어서 살았다.
③ 주먹도끼로 사냥하였다.
④ 주로 뗀석기를 사용하였다.
⑤ 청동으로 무기를 만들었다.

내공2 만주와 한반도의 청동기 문화

중요 **4** (가) 시대에 대한 설명으로 옳은 것은?

> (가) 시대에는 농경과 목축의 발달로 여분의 생산물이 생기자 사유 재산의 개념이 나타나며 빈부 격차가 생겼고, 계급이 나뉘었다. 권력이 있고 재산이 많은 사람은 군장이 되어 부족을 통솔하며 제사를 이끌었다.

① 토기가 처음 제작되었다.
② 슴베찌르개가 사용되었다.
③ 지배층의 무덤으로 고인돌이 만들어졌다.
④ 추운 빙하기와 따뜻한 간빙기가 반복되었다.
⑤ 사람들은 무리를 이루어 이동 생활을 하였다.

5 밑줄 친 '이 도구'에 해당하는 것과 이것의 활용 모습을 옳게 연결한 것은?

> 이 도구는 기원전 2000년경에서 기원전 1500년경에 만주와 한반도에 보급되었다. 구리에 주석, 아연 등의 금속을 섞어 만들었기에 원료를 구하기 힘들고 만들기도 어려웠다.

① 청동 방울 – 제사를 지냈다.
② 주먹도끼 – 큰 짐승을 사냥하였다.
③ 반달 돌칼 – 재배한 곡식을 거두었다.
④ 청동 거울 – 전쟁에서 무기로 사용하였다.
⑤ 민무늬 토기 – 음식을 조리하고 저장하였다.

내공 **3** 고조선의 성립

[6~7] 다음은 고조선의 건국 이야기이다. 물음에 답하시오.

> 환인(하늘의 신)의 아들 환웅이 …… 인간 세상을 간절히 얻고자 하니, 환인이 …… 아래의 삼위태백을 보자 널리 인간을 이롭게 할 만하였다. …… (환웅은) 풍백, 우사, 운사(각각 바람, 비, 구름을 다스리는 신하)와 함께 곡식, 수명, 질병, 형벌, 선악 등 인간 세상의 360여 가지의 일을 다스리게 하였다. 당시 곰 한 마리와 호랑이 한 마리가 …… 곰은 21일 동안 쑥과 마늘을 먹으며 햇빛을 보지 않는 것을 지켜 여자의 몸(웅녀)이 되었다. …… 환웅이 웅녀와 혼인하여 아들을 낳으니 이름을 (가) (이)라고 하였다. (가) 은/는 아사달에 도읍을 정하고 나라 이름을 조선이라고 불렀다.
> – 일연, 「삼국유사」

6 윗글에서 고조선에 대하여 알 수 있는 사실로 옳지 **않은** 것은?

① 홍익인간 이념
② 농업 사회 형성
③ 부족 간의 연맹
④ 특정 동물 숭배 신앙
⑤ 계급이 없는 평등 사회

주관식

7 (가)에 들어갈 용어를 다음을 참고하여 쓰시오.

> 제사장과 정치적 우두머리를 뜻하는 말을 합친 것으로, 제정일치 사회의 지배자임을 알려 주는 용어이다.

8 고조선의 문화 범위가 지도와 같음을 알려 주는 문화유산으로 옳은 것만을 〈보기〉에서 있는 대로 고른 것은?

▶ 보기 ◀

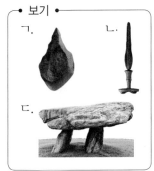

① ㄴ
② ㄷ
③ ㄱ, ㄴ
④ ㄴ, ㄷ
⑤ ㄱ, ㄴ, ㄷ

9 (가)에 들어갈 내용으로 가장 적절한 것은?

(가)
• ○○이 준왕을 몰아내고 왕위 차지
• 철기 문화 본격 수용
• 중국의 한과 한반도 남쪽 나라들 사이에서 중계 무역으로 번성

① 고조선의 법률
② 고조선의 정치 체제
③ 고조선의 문화 범위
④ 위만의 집권과 고조선
⑤ 단군왕검의 고조선 건국

서술형 문제

10 다음 유적의 명칭과 이것이 처음 만들어진 시기를 쓰고, 이 유적을 통해 알 수 있는 사실을 서술하시오.

11 다음에서 알 수 있는 고조선의 사회 모습을 **세** 가지 이상 서술하시오.

> 사람을 죽인 자는 바로 사형에 처하고, 남에게 상해를 입힌 자는 곡물로 배상하게 한다. 남의 물건을 훔친 자는 그 집의 노비로 삼으며, 속죄하려고 하는 자는 1인당 50만 전을 내게 한다.
> – 반고, 「한서」

02 여러 나라의 성장

내공 1 철기의 보급과 사회 변화

1 철기의 보급
(1) **시기**: 기원전 5세기경에 중국으로부터 만주와 한반도에 전래, 기원전 1세기경에 널리 사용
(2) **철기의 특성**: 청동기보다 재료를 구하기 쉽고, 단단함
① **철제 농기구 이용**: 땅을 깊게 갈 수 있어 개간 활발 → 농업 생산력 증가
└ 청동기는 장식품이나 제사용 도구로 여전히 사용되었어.
② **철제 무기 사용**: 예리하고 튼튼하여 전쟁이 더 치열해짐

2 사회 변화
(1) **국가의 등장**: 철기를 통해 세력을 키운 부족이 주변 부족 정복·연합, 영역 확대 → 만주, 한반도에 여러 나라 등장
(2) **중국과 교류**: 철기 시대 유적에서 명도전(중국 화폐) 발견, 경남 창원 다호리 유적에서 붓 발견(→ 한반도에 한자 전래)
(3) **생활 변화**: 직사각형의 지상 가옥 등에서 거주, 널무덤·독무덤 제작

▲ 철제 농기구　　▲ 철제 무기　　▲ 명도전

중국 전국 시대의 화폐인데, 요동 지역과 한반도 북부에서 출토되어 고조선과 중국의 교역이 활발했음을 추측할 수 있어.

내공 2 여러 나라의 성장

1 부여
가축의 이름을 딴 마가, 우가, 저가, 구가 등이 '사출도'를 다스렸어.
(1) **성립**: 만주 쑹화강 유역에서 여러 부족의 연합으로 성립
(2) **정치**: 연맹 왕국(가장 힘이 센 부족의 군장이 왕이 됨, 왕이 중앙을 다스리고, '가(加)'들이 각자의 영역을 지배, 나라의 중요한 일은 왕과 가들이 회의에서 결정)
(3) **경제**: 농경(밭농사), 목축 활발
하늘에 제사를 지내는 행사야. 풍년 등을 기원하였어.
(4) **사회 풍속**: 엄격한 법 시행, 영고(제천 행사, 12월)·순장·형사취수제 실시, 소의 발굽 모양으로 길흉을 점침
왕이나 귀족이 죽으면 노비 등 사람을 함께 묻는 풍습이야.
(5) **멸망**: 5세기에 고구려에 통합됨
└ 형이 죽으면 동생이 형수를 아내로 삼는 풍습이야.

> • 부여에는 군왕이 있고 가축의 이름으로 관명을 정한 마가, 우가, 저가, 구가 등이 있다. 제가들이 사출도를 다스리는데, 큰 곳은 수천 가호이며 작은 곳은 수백 가호이다.
> — 『삼국지』 위서 동이전
> • 형벌이 엄하여 사람을 죽인 사람은 사형에 처하고, 그 집안 사람을 노비로 삼는다. 도둑질을 하면 도둑질한 물건의 열두 배를 변상한다.
> — 『삼국지』 위서 동이전

▲ 부여의 정치 제도와 법

2 고구려
(1) **성립**: 부여에서 내려온 세력과 압록강 중류 토착민이 결합해 압록강 중류의 졸본을 도읍으로 건국
(2) **정치**: 5부가 연합한 연맹 왕국(왕 아래 가(加)들이 존재(상가, 대가 등), 제가 회의에서 나라의 중요한 일 결정)
(3) **경제**: 산악 지역에 위치, 농지 부족 → 전쟁으로 세력 확장
(4) **사회 풍속**: 무예 중시, 엄격한 법 마련, 서옥제(혼인 풍속), 동맹(제천 행사, 10월)
상가, 대가 등 5부의 '가(加)'들이 모인 회의야.

> 혼인할 때는 미리 약속을 하고, 여자 집에서 본채 뒤편에 작은 별채인 서옥을 짓는다. …… 이때 신랑은 돈과 비단을 내놓는다. (서옥에서 살다가) 자식을 낳아 장성하면 아내를 데리고 집으로 돌아간다.
> — 『삼국지』 위서 동이전

▲ 고구려의 서옥제

3 옥저와 동예
단궁은 박달나무로 만든 작은 활, 과하마는 과일 나무 아래를 지나갈 수 있는 몸집이 작은 말, 반어피는 바다표범의 가죽을 뜻해.
(1) **성립**: 한반도 동해안의 비옥한 지역에서 성립
(2) **정치**: 왕이 존재하지 않고 군장(읍군, 삼로)이 각 지역 지배, 고구려에 예속되어 공물을 바침 → 결국 고구려에 멸망
(3) **경제**: 농사 발달, 소금과 해산물 풍부(동예는 단궁, 과하마, 반어피가 특산물로 유명)
혼인을 약속한 여자를 어릴 때 신랑 집에 데려와 기르고 성장하면 친정으로 돌려보냈다가 신랑 집에서 돈을 낸 뒤 다시 아내로 삼았어.
(4) **사회 풍속**
① **옥저**: 민며느리제(혼인 풍속), 가족 공동 무덤 제작
② **동예**: 족외혼, 책화, 무천(제천 행사, 10월)
└ 족외혼은 같은 씨족끼리 혼인하지 않는 풍습. 책화는 다른 부족의 경계를 침범하면 노비나 소, 말로 보상하는 풍습이야.
└ 가족이 죽으면 시신을 임시로 묻어 두었다가 나중에 뼈를 추려 가족 공동 무덤에 묻었어.

4 삼한
(1) **성립**: 고조선 유민이 한반도 남부에 철기 문화 전파 → 마한, 진한, 변한 연맹체 출현(마한 목지국의 지배자가 대표)
(2) **정치**: 군장(신지, 읍차)이 다스림, 천군이 제사 의식 주관·소도 존재(제정 분리 사회)
└ 신성한 지역이라 군장의 권력이 미치지 못해 도망친 죄인이 숨어도 잡을 수 없었어.
(3) **경제**: 벼농사 발달(저수지 축조), 변한은 철 풍부(덩이쇠를 화폐처럼 사용, 낙랑과 왜에 수출)
(4) **사회 풍속**: 제천 행사(5월과 10월) 개최

◀ 여러 나라의 성립 | 철기 문화를 바탕으로 만주와 한반도에 여러 나라가 생겨났다.

개념 확인하기

정답과 해설 3쪽

1 다음 설명이 맞으면 ○표, 틀리면 ×표를 하시오.
(1) 부여에는 순장 풍습이 있었다. (　　　)
(2) 고구려는 5부가 연합한 연맹 왕국이었다. (　　　)
(3) 삼한의 특산물로 단궁, 과하마, 반어피가 유명하였다. (　　　)

2 다음 설명에 해당하는 용어를 〈보기〉에서 골라 기호를 쓰시오.

• 보기 •
ㄱ. 변한　　ㄴ. 신지　　ㄷ. 책화　　ㄹ. 명도전

(1) 삼한 지역의 소국을 다스린 군장의 명칭 중 하나이다. (　　　)
(2) 철기 시대 유적에서 발견된 중국 화폐로 중국과 교역하였음을 보여 준다. (　　　)
(3) 다른 부족의 경계를 침범하면 노비, 소, 말 등으로 보상하는 동예의 풍습이다. (　　　)
(4) 삼한의 하나로, 낙동강 유역에 자리 잡았으며 철이 풍부하여 주변국에 철을 수출하였다. (　　　)

3 부여는 만주 쑹화강 주변의 여러 부족이 연합하여 성립한 (　　　　　)으로, 가장 힘이 센 부족의 군장이 왕이 되었다.

4 다음 괄호 안의 내용 중 알맞은 말에 ○표를 하시오.
(1) 옥저에는 혼인 풍속으로 (서옥제, 민며느리제)가 있었다.
(2) 삼한에는 신성 지역으로, 군장의 권력이 미치지 못하는 (소도, 책화)가 있었다.
(3) 고구려에서는 왕과 5부의 대가들이 나라의 중요한 일들을 (사출도, 제가 회의)에서 결정하였다.

5 나라와 제천 행사를 옳게 연결하시오.
(1) 동예 •　　　　　　• ㉠ 동맹(10월)
(2) 부여 •　　　　　　• ㉡ 무천(10월)
(3) 고구려 •　　　　　• ㉢ 영고(12월)

내공 쌓는 족집게 문제

내공 1 철기의 보급과 사회 변화

○○○○●●

1 만주와 한반도의 철기 문화 발전에 대한 설명으로 옳지 않은 것은?

① 중국으로부터 들어왔다.
② 제사용 도구는 석기로 제작하였다.
③ 청동기보다 재료를 쉽게 구할 수 있었다.
④ 철제 농기구는 단단해서 땅을 깊이 갈 수 있었다.
⑤ 예리하고 튼튼한 철제 무기를 쓰면서 전쟁이 활발해졌다.

○○○●●●

2 밑줄 친 부분을 고려한 다음 유물의 탐구 주제로 가장 적절한 것은?

 이 화폐는 중국 전국 시대의 화폐로, 작은 칼 모양이며 표면에 명(明)자 비슷한 것이 적혀 있다. 한반도의 철기 시대 유적에서도 출토되고 있다.

① 청동기와 철기의 차이
② 화폐의 사용에 따른 빈부 격차
③ 강력한 권한을 지닌 군장의 출현
④ 만주와 한반도에 생겨난 여러 나라
⑤ 철기 시대의 한반도와 중국의 교역

●●●●●●

중요 3 다음 유물들이 널리 보급되면서 나타난 사회 변화로 옳은 것을 〈보기〉에서 고른 것은?

▲ 철제 농기구　　　▲ 철제 무기

• 보기 •
ㄱ. 전쟁이 줄어들었다.
ㄴ. 농업 생산력이 증가하였다.
ㄷ. 우리 역사상 최초의 국가가 성립하였다.
ㄹ. 만주와 한반도에 여러 나라가 생겨나기 시작하였다.

① ㄱ, ㄴ　　② ㄱ, ㄷ　　③ ㄴ, ㄷ
④ ㄴ, ㄹ　　⑤ ㄷ, ㄹ

족집게 문제

내공 2 여러 나라의 성장

[4~5] 다음을 읽고 물음에 답하시오.

> 산천을 중시하여 산과 강마다 경계가 있어 함부로 들어가지 않는다. 다른 부족의 영역을 침범하면 노비나 소, 말 등으로 배상하였다.

주관식

4 윗글이 설명하는 풍속을 가리키는 용어를 쓰시오.

5 위 풍속이 있었던 국가에 대한 설명으로 옳은 것을 〈보기〉에서 고른 것은?

> **보기**
> ㄱ. 12월에 제천 행사를 열었다.
> ㄴ. 마한, 진한, 변한의 연맹체였다.
> ㄷ. 같은 씨족끼리는 혼인하지 않았다.
> ㄹ. 특산물로 단궁, 과하마, 반어피가 유명하였다.

① ㄱ, ㄴ 　② ㄱ, ㄷ 　③ ㄴ, ㄷ
④ ㄴ, ㄹ 　⑤ ㄷ, ㄹ

6 (가)에 들어갈 나라로 옳은 것은?

> **(가)**
> • 건국: 졸본을 도읍으로 건국(기원전 37)
> • 정치: 5부의 연맹 왕국, 왕 아래 여러 가(加)들이 존재
> • 풍속: 서옥제와 형사취수제 시행, 무예 중시

① 동예 　② 부여 　③ 삼한
④ 옥저 　⑤ 고구려

7 (가)에 들어갈 대화로 가장 적절한 것은?

① 영고라는 제천 행사를 열었어.
② 한 무제의 침략으로 멸망하였어.
③ 가족 공동 무덤을 만드는 풍습이 있었어.
④ 건국 이야기가 삼국유사에 최초로 등장해.
⑤ 군장의 권력이 미치지 못하는 소도가 존재하였어.

중요 8 교사의 질문에 대한 학생의 답변으로 가장 적절한 것은?

> 형벌이 엄하여 사람을 죽인 사람은 사형에 처하고, 그 집안 사람을 노비로 삼는다. 도둑질을 하면 도둑질한 물건의 열두 배를 변상한다.
> – 「삼국지」 위서 동이전

① 계급이 없는 평등 사회였어요.
② 제사장인 천군이 따로 있었어요.
③ 서옥제라는 혼인 풍습이 있었어요.
④ 가축의 이름을 딴 관리들이 있었어요.
⑤ 중국의 연과 겨룰 만큼 강성하였어요.

9 삼한에 대한 설명으로 옳지 <u>않은</u> 것은? ◉◉◉◉◉

① 고구려에 공물을 바쳤다.
② 목지국의 군장이 대표하였다.
③ 덩이쇠를 화폐처럼 사용하였다.
④ 매년 5월과 10월에 제천 행사가 열렸다.
⑤ 벼농사를 지어 곳곳에 저수지를 만들었다.

[10~11] 다음 자료를 읽고 물음에 답하시오.

> 혼인할 때는 미리 약속을 하고, 여자 집에서 본채 뒤편
> 에 작은 별채인 서옥을 짓는다. …… 이때 신랑은 돈과
> 비단을 내놓는다. (서옥에서 살다가) 자식을 낳아 장성
> 하면 아내를 데리고 집으로 돌아간다.
> – 『삼국지』 위서 동이전

중요10 위의 풍속이 있었던 나라가 있었던 곳을 지도에서 옳게 ◉◉◉◉◉
고른 것은?

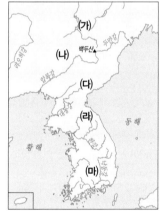

① (가)　② (나)　③ (다)　④ (라)　⑤ (마)

11 위의 풍속이 있었던 나라에 대한 설명으로 옳은 것을 ◯◯◉◉◉
〈보기〉에서 고른 것은?

> • 보기 •
> ㄱ. 낙랑과 왜에 철을 수출하였다.
> ㄴ. 동맹이라는 제천 행사를 열었다.
> ㄷ. 신지, 읍차라고 불린 군장이 있었다.
> ㄹ. 나라의 중요한 일을 제가 회의에서 결정하였다.

① ㄱ, ㄴ　② ㄱ, ㄷ　③ ㄴ, ㄷ
④ ㄴ, ㄹ　⑤ ㄷ, ㄹ

12 (가)에서 열렸던 제천 행사의 명칭으로 옳은 것은? ◯◯◯◉◉

> **1. 여러 나라의 성장**
> (1)　(가)
> • 위치: 강원도 동해안 일대
> • 정치: 읍군, 삼로가 부족을 지배
> • 풍습: 책화, 엄격한 족외혼
> • 특산물: 단궁, 과하마, 반어피

① 동맹　　② 무천　　③ 소도
④ 영고　　⑤ 사출도

서술형 문제

13 (가)에 들어갈 나라의 이름을 쓰고, 이 나라의 정치적 ◯◯◯◯◉
특징을 서술하시오.

> (가) 에는 군왕이 있고 가축의 이름으로 관명을
> 정한 마가, 우가, 저가, 구가 등이 있다. 제가들이
> 사출도를 다스리는데, 큰 곳은 수천 가호이며 작은
> 곳은 수백 가호이다. – 『삼국지』 위서 동이전

_____

_____

_____

14 (가)에 들어갈 용어를 쓰고, 이 자료를 통해 알 수 있 ◉◉◉◉◉
는 삼한 사회의 특징을 서술하시오.

> 삼한에는 정치적 지배자인 군장과 별도로 (가)
> (이)라는 제사장이 있어 제사 의식을 주관하였다.
> 신성 지역인 소도는 정치적으로 독립된 지역으로,
> 죄를 짓고 도망친 사람이 숨어도 잡을 수 없었다.

_____

_____

_____

03 삼국의 성립과 발전

내공 1 고구려의 성장과 영토 확장

> 계루부, 소노부, 절노부, 순노부, 관노부의 5부가 고국천왕 때 수도의 행정 구역인 동, 서, 남, 북, 중의 5부로 개편되었어.

1 고구려의 성장과 체제 정비

(1) 성장: 국내성 천도(1세기 초) 후 주변 지역 정복, 왕권 성장
① 태조왕(1세기 후반): 옥저 정복, 요동 지방 진출
② 고국천왕(2세기 후반): 5부 개편, 진대법 시행
③ 미천왕(4세기 초): 낙랑군 점령 → 대동강 유역으로 영토 확대
④ 왕권 성장: 계루부 고씨 왕위 세습, 각 부 족장을 중앙 귀족으로 편입, 관리들을 대대로 등 10여 등급으로 구분, 부자 왕위 세습 확립 └ 수상의 역할을 맡았어.

> 고국천왕은 홀아비, 과부, 고아, 홀로 사는 노인, 병들고 가난하여 스스로 살아갈 수 없는 사람들을 구제하게 하였다. 매년 봄 3월부터 가을 7월까지 관(청)의 곡식을 대여하게 하고, 겨울 10월에 이르러 갚게 하였다. — 「삼국사기」

▲ 진대법의 시행 | 고국천왕이 빈민을 구제하기 위해 진대법을 시행하였다.

(2) 고구려의 위기와 체제 정비
① 위기: 중국 전연의 침략(수도가 함락되기도 함), 백제의 평양성 공격으로 고국원왕 전사 등
② 소수림왕의 위기 극복을 위한 체제 정비(4세기 후반): 중국 전진에서 불교 수용(→ 사상 통합, 왕실 권위 높임), 태학 설립 (→ 인재 양성), 율령 반포(→ 통치 조직 정비) └ 국가 통치에 필요한 형벌, 관리 등급, 행정 조직, 신분 제도, 세금 제도 등에 관한 규정이야.

2 고구려의 영토 확장

(1) 광개토 대왕(4세기 말~5세기 초)
① 영토 확장: 백제를 공격해 한강 이북 지역 차지, 거란·동부여·후연을 격파해 만주와 요동 지역 대부분을 차지
② 영향력 확대: 왜의 침입을 받은 신라의 요청으로 구원군 파병 → 왜 격퇴, 금관가야 공격 → 신라에 영향력 확대
③ 영향: 중국과 대등하다는 자신감에서 연호 '영락' 사용, '태왕' 자칭

> 광개토 대왕은 백제를 공격해 아신왕의 항복을 받아 내고, 신라에 침입한 왜를 물리쳐 신라를 도왔으며, 북으로 거란과 숙신을 쳤고 동부여를 복속시켰다. — 광개토 대왕릉비문 요약
> └ 장수왕이 아버지 광개토 대왕의 업적을 기리기 위해 세웠어.

▲ 광개토 대왕의 영토 확장

(2) 장수왕(5세기)
> 대동강 유역의 평야를 끼고 있어 물산이 풍부하고, 바다 진출에 유리하였다.

① 외교: 중국의 남북조와 외교 관계 체결 → 국가 안정, 독자적 세력권 확립, 다원적 국제 질서 성립
② 영토 확장: 귀족 세력 약화를 위해 평양 천도(427) → 남진 정책 추진 → 백제의 한성 함락, 한강 유역 차지(475) → 한반도 중부 지역까지 세력 확장(충주 고구려비가 근거)
③ 영향: 고구려가 천하의 중심이라는 독자적인 세계관 확립
> └ 이것에 위협을 느낀 백제와 신라가 군사 동맹으로 나제 동맹을 맺었어(433).

내공 2 백제의 발전과 중흥 노력

1 백제의 성립과 발전
> 백제 왕족의 성씨가 부여씨라는 점, 백제 초기의 고분 양식이 고구려의 것과 유사하다는 점에서 알 수 있어.

(1) 성립: 부여·고구려에서 이주한 세력과 한강 유역 토착 세력이 결합해 건국, 마한의 소국 중 하나
(2) 고이왕(3세기 중반): 좌평을 비롯한 관리의 등급 마련, 관복색으로 서열 구분, 목지국을 정복해 한반도 중부 지역 확보
> 농경이 발달하고, 해상 교통이 편리해 중국의 선진 문물을 받아들이는 데 유리하였다.

(3) 근초고왕(4세기)
① 영토 확장: 남은 마한 세력을 정복해 남해안 진출, 가야에 영향력 행사, 고구려를 공격해 황해도 일부 차지(평양성 전투에서 고구려 고국원왕 전사)
② 외교 관계 확대: 중국 동진과 외교 관계 수립, 왜와 교류

2 백제의 위기와 중흥 노력

(1) 위기: 광개토 대왕의 공격으로 한강 이북 지역 상실, 장수왕의 공격으로 수도 한성 함락, 개로왕 전사 → 웅진(공주) 천도(475), 무역 침체·귀족의 권력 다툼으로 왕권 약화
> 지방의 요지에 설치한 행정 구역으로 국왕 자제나 왕족을 보내 다스리게 하였어.

(2) 중흥 노력
① 동성왕(5세기 말): 혼인을 통해 신라와의 동맹 강화
② 무령왕(6세기 초): 22담로를 설치해 지방 통제 강화, 중국 남조의 양과 활발한 문화 교류 추진
> └ 수로 교통이 편리하고, 평야 지대였어.
③ 성왕(6세기): 사비(부여) 천도, 국호를 '남부여'로 변경

체제 정비	중앙에 22부 관청 설치, 지방 제도를 수도 5부·지방 5방으로 정비
교류 확대	중국 남조와 교류 확대, 왜에 불교 등 전파
영토 회복	신라 진흥왕과 연합하여 한강 하류 지역을 일시 회복

> 백제가 차지했던 한강 하류 지역을 신라 진흥왕이 다시 빼앗자, 성왕이 신라를 공격하다 관산성에서 전사하였다.

▲ 무령왕릉의 내부 모습과 진묘수 | 무령왕릉은 중국 남조의 벽돌무덤 양식으로 만들어졌다. 무덤을 지키는 상상의 동물인 진묘수를 넣은 것은 중국의 영향을 받은 것이다. 이를 통해 백제와 중국 남조의 활발한 교류를 알 수 있다.

내공 3 신라의 성장과 한강 유역 차지

1 신라의 성립과 성장

(1) 성립: 유이민 세력과 경주 6개 촌이 연합해 사로국 건국, 진한 소국 중 하나 → 박씨, 석씨, 김씨가 번갈아가며 '이사금' 차지

(2) 내물왕(4세기 후반): 낙동강 동쪽의 진한 지역을 대부분 차지, 김씨가 왕위 독점, 왕호를 '마립간'으로 변경, 광개토 대왕의 도움으로 왜군의 침입 격퇴

└ 대군장을 뜻하는 호칭이야. 왕권이 강화된 것을 보여 줘.

◀ 호우명 그릇 | 바닥에 고구려 광개토 대왕을 가리키는 글자가 새겨진 그릇이 경주 호우총에서 발견되었다. 이를 통해 신라가 고구려의 정치적 간섭을 받았음을 짐작할 수 있다.

(3) 지증왕(6세기 초): 나라 이름 '신라' 확정, 왕호 '왕' 사용, 지방 통치 조직 정비, 순장 금지, 우경 장려, 우산국 정벌

┌ 소를 이용한 경작으로 농업 생산력 향상에 기여하였어.

(4) 법흥왕(6세기 전반): 율령 반포, 관등제(관리를 17등급으로 구분)와 골품제 정비, 상대등 설치, 병부 설치, 불교 공인, 금관가야 정복, 연호 '건원' 사용

└ 화백 회의에 참여하는 귀족들의 대표야. 수상의 역할을 하였어.

2 진흥왕의 한강 유역 차지

(1) 체제 정비: 화랑도를 재편해 인재 양성, 황룡사를 건립해 국력 과시, 불교 장려

└ 청소년 단체야. 진골 출신의 화랑과 그를 따르는 낭도로 구성되었어.

(2) 영토 확장: 정복한 지역에 단양 신라 적성비, 순수비 건립

① 한강 유역 점령: 백제 성왕과 연합해 고구려로부터 상류 지역을 빼앗음 → 백제로부터 하류 지역을 빼앗음

② 그 외: 대가야를 포함한 가야 연맹 정복으로 낙동강 서쪽 장악, 고구려 영토인 함흥평야까지 진출

└ 황해를 통해 중국과 직접 교역할 수 있게 되었어.

└ 왕이 나라 안을 직접 다니며 민심을 살핀 곳을 기념하여 세운 비석이야.

내공 4 삼국의 발전과 항쟁

1 삼국의 중앙 집권 국가로의 발전

┌ 왕위 부자 상속을 이루기도 하였어.

(1) 중앙 집권 국가의 특징: 왕위 세습, 율령 반포(통치 제도와 법령 정비), 불교 수용(국왕의 권위 뒷받침), 영토 확장 등

(2) 통치 체제 정비

┌ 신라 귀족들은 국가의 주요 사안을 화백 회의에서 만장일치로 결정하였다.

구분	고구려	백제	신라
귀족 회의	제가 회의	정사암 회의	화백 회의
행정 구역	수도 5부 지방 5부	수도 5부 지방 5방	수도 6부 지방 5주
관등제	10여 관등 (수상: 대대로)	16관등 (수상: 상좌평)	17관등 (수상: 상대등)

└ 삼국은 지방 세력을 중앙 귀족으로 흡수하는 과정에서 관등제를 통해 그들을 서열화하였어.

2 삼국의 항쟁

시기	고구려	백제	신라
4세기	고국원왕: 백제의 공격으로 전사	근초고왕: 마한 복속, 평양성 공격, 동진·왜와 교류	
4세기 말~ 5세기 초	광개토 대왕: 영토 확장		내물왕: 고구려 도움으로 왜 격퇴
5세기	장수왕: 남진 정책 → 한강 유역 차지	• 나제 동맹 체결 • 웅진 천도	나제 동맹 체결
6세기		성왕: 사비 천도, 한강 하류 일시 회복	진흥왕: 한강 유역 점령, 함흥평야 진출

▲ 4세기 백제의 발전과 대외 관계

┌ 칼에 백제 왕세자가 왜 왕에 전한다는 기록이 있는 것으로, 당시 백제가 왜와 긴밀한 관계를 맺고 있었음을 알 수 있어.

▲ 칠지도

▲ 5세기 고구려의 발전   ▲ 6세기 신라의 영토 확장

┌ 고구려가 한반도 중부 지역까지 영토를 확장한 것을 보여 줘.

▲ 충주 고구려비   ▲ 단양 신라 적성비

내공 5 가야 연맹의 성립과 멸망

1 가야 연맹의 성립과 금관가야의 발전

(1) 가야 연맹의 형성: 변한 지역 소국들의 연합

(2) 금관가야의 발전

① 발전: 낙동강 하류 김해에 위치(철 생산지, 비옥한 농경지, 해상 교통의 요지) → 우수한 철기 제작, 철제 농기구로 농사, 낙랑·왜와 활발히 교류, 전기 가야 연맹 주도

② 쇠퇴: 고구려 광개토 대왕이 신라에 침입한 왜를 물리치는 과정에서 큰 타격을 입음 → 맹주로서의 지위 상실

└ 왜군이 가야로 도주하자 고구려군이 이들을 쫓아 금관가야에 들어왔어.

2 대가야의 발전과 가야 연맹의 멸망

(1) 대가야의 발전: 고령에 위치(토지 비옥, 철 생산지) → 질 좋은 철기 다량 생산, 후기 가야 연맹 주도, 중국 남조 및 왜와 교류

(2) 가야 연맹의 멸망: 연맹 왕국 단계에 머무름, 백제와 신라의 압력을 받아 세력 약화 → 금관가야 멸망(신라 법흥왕, 532), 대가야 멸망(신라 진흥왕, 562)

개념 확인하기

정답과 해설 4쪽

1 다음 설명이 맞으면 ○표, 틀리면 ✕표를 하시오.

(1) 소수림왕은 불교를 수용하였다. ( )
(2) 고국천왕은 진대법을 시행하였다. ( )
(3) 지증왕은 나라 이름을 신라로 정하였다. ( )
(4) 고이왕은 신라와 연합하여 고구려에게 빼앗겼던 한
강 유역을 되찾았다. ( )

2 백제 왕세자가 왜왕에게 전한다고 새겨진 칼로, 백제와 왜
의 긴밀한 관계를 보여 주는 것의 이름을 쓰시오.

3 다음 설명에 해당하는 문화유산을 〈보기〉에서 골라 기호
를 쓰시오.

> • 보기 •
> ㄱ. 호우명 그릇
> ㄴ. 충주 고구려비
> ㄷ. 광개토 대왕릉비
> ㄹ. 서울 북한산 신라 진흥왕 순수비

(1) 장수왕이 아버지의 업적을 기리기 위하여 세웠다.
( )
(2) 신라가 고구려의 정치적 간섭을 받고 있었음을 알
수 있다. ( )
(3) 진흥왕이 한강 유역을 차지한 후 이를 기념하기 위
해 세웠다. ( )
(4) 고구려가 한반도 중부 지역까지 영토를 확장한 후
세운 비석이다. ( )

4 신라는 진흥왕 때 ( )를 국가적 조직으로 재편
하여 인재를 양성하고 국가 기반을 다졌다.

5 다음 괄호 안의 내용 중 알맞은 말에 ○표를 하시오.

(1) 낙동강 하류의 김해에 자리 잡은 (대가야, 금관가야)
는 전기 가야 연맹을 주도하였다.
(2) 백제의 (성왕, 무령왕)은 지방의 22담로에 왕족을
파견하여 지방 통제를 강화하였다.
(3) 백제 성왕은 한강 유역을 다시 빼앗아 간 신라를 공
격하다 (관산성, 평양성) 전투에서 전사하였다.

6 신라 왕과 업적을 옳게 연결하시오.

(1) 내물왕 • • ㉠ 우산국 정벌
(2) 법흥왕 • • ㉡ 한강 유역 차지
(3) 지증왕 • • ㉢ 병부, 상대등 설치
(4) 진흥왕 • • ㉣ 김씨의 왕위 독점 세습

족집게 문제

내공 1 고구려의 성장과 영토 확장

1 다음 정책을 실시한 고구려의 왕으로 옳은 것은?

> 왕은 홀아비, 과부, 고아, 홀로 사는 노인, 병들고 가
> 난하여 스스로 살아갈 수 없는 사람들을 구제하게 하
> 였다. 매년 봄 3월부터 가을 7월까지 관(청)의 곡식을
> 대여하게 하고, 겨울 10월에 이르러 갚게 하였다.
> – 「삼국사기」

① 미천왕 ② 태조왕 ③ 고국원왕
④ 고국천왕 ⑤ 소수림왕

2 (가)에 들어갈 내용으로 가장 적절한 것은?

> **고구려의 위기 극복을 위해 체제를 정비한 ○○○왕**
>
> 〈목차〉
> 1. 왕자 시절에 커다란 위기를 맞다
>   1) 전연과 백제의 침입
>   2) 고국원왕의 전사
> 2. 즉위 후 국가의 재건을 위해 노력하다
>   1) 불교 수용
>   2) 율령 반포
>   3) (가)

① 옥저 정복 ② 태학 설립
③ 평양 천도 ④ 한강 유역 점령
⑤ 충주 고구려비 건립

중요 3 다음 업적을 남긴 왕에 대한 설명으로 옳은 것은?

> • 백제를 공격하여 한강 이북 지역을 차지하였다.
> • 거란과 숙신을 쳐 만주 대부분을 차지하였다.
> • '영락'이라는 연호를 사용하였다.

① 아버지가 광개토 대왕이었다.
② 광개토 대왕릉비를 건립하였다.
③ 신라에 침입한 왜를 격퇴하였다.
④ 부족적 5부를 행정 구역 5부로 개편하였다.
⑤ 평양성을 공격한 백제군을 막다가 전사하였다.

출제율 ●●●●● 시험에 꼭 나오는 출제 가능성이 높은 예상 문제로, 내신 100점을 받기 위한 필수 문항들

4 교사의 설명 중 (가)에 들어갈 내용으로 가장 적절한 것은?

이 비석은 한반도에 있는 유일한 고구려 비석으로 유명한데요. 이 비석에서 ＿＿＿(가)＿＿＿라는 사실을 알 수 있어요.

▲ 충주 고구려비

① 백제가 사비로 천도하였다
② 신라가 한강 유역을 차지하였다
③ 고구려 시조 추모왕은 천제의 아들이다
④ 고구려가 불교를 수용하여 사상 통합을 이루었다
⑤ 고구려가 한반도의 중부 지역까지 영토를 확장하였다

내공 2 백제의 발전과 중흥 노력

5 다음 유적과 유물이 보여 주는 역사적 사실로 옳은 것은?

▲ 무령왕릉의 내부 모습 　　▲ 진묘수

무령왕릉은 백제 무령왕과 왕비의 무덤이다. 중국 남조의 벽돌무덤 양식으로 만들어졌는데 4,600여 점의 유물이 출토되었다. 그 중에는 무덤을 지킨다는 상상의 동물인 진묘수 조각이 있었다. 당시 중국에서는 진묘수를 무덤 안에 넣는 것이 유행하였다.

① 백제가 남해안까지 진출하였다.
② 무령왕이 22담로를 설치하였다.
③ 백제는 왜와 활발히 교류하였다.
④ 무령왕은 중국 남조와의 교류에 힘썼다.
⑤ 백제를 건국한 중심 세력은 고구려와 같은 계통이었다.

---

6 밑줄 친 '왕'에 대한 설명으로 옳은 것은?

겨울에 왕이 태자와 함께 정예군 3만 명을 거느리고 고구려에 침입하여 평양성을 공격하였다. 고구려 왕 사유(고국원왕)가 필사적으로 항전하다가 화살에 맞아 사망하자 왕이 군사를 이끌고 물러났다. – 「삼국사기」

① 우산국을 정벌하였다.
② 사비로 수도를 옮겼다.
③ 관산성 전투에서 전사하였다.
④ 단양 신라 적성비를 건립하였다.
⑤ 마한의 남은 세력을 복속하였다.

중요 7 (가)에 들어갈 내용으로 가장 적절한 것은?

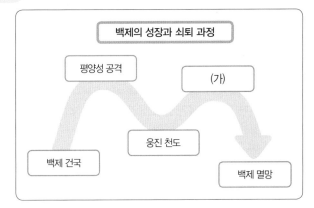

백제의 성장과 쇠퇴 과정

평양성 공격 → (가)

백제 건국 → 웅진 천도 → 백제 멸망

① 마한 정복 　　② 대가야 병합
③ 22담로 설치 　　④ 진대법 실시
⑤ 화랑도 개편

중요 8 (가)에 들어갈 내용으로 가장 적절한 것은?

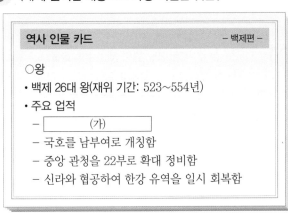

역사 인물 카드　　　　　– 백제편 –

○왕
• 백제 26대 왕(재위 기간: 523~554년)
• 주요 업적
　– ＿＿＿(가)＿＿＿
　– 국호를 남부여로 개칭함
　– 중앙 관청을 22부로 확대 정비함
　– 신라와 협공하여 한강 유역을 일시 회복함

① 불교를 수용함 　　② 사비로 천도함
③ 태학을 설립함 　　④ 상대등을 설치함
⑤ 8조법을 제정함

내공 3 　신라의 성장과 한강 유역 차지

9 다음 변화가 일어날 당시의 신라 왕으로 옳은 것은?

> 김씨가 왕위를 독점하였고, 왕의 칭호도 대군장을 뜻하는 '마립간'으로 바뀌었다.

① 내물왕　　② 눌지왕　　③ 법흥왕
④ 지증왕　　⑤ 진흥왕

10 (가)에 들어갈 왕의 업적으로 옳은 것을 〈보기〉에서 고른 것은?

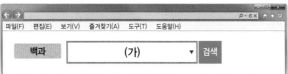

백과　　　　(가)　　　▼　검색

> 신라의 제23대 왕. 지증왕의 맏아들로 태어났으며 514년에 지증왕이 죽은 뒤 왕위를 계승하였다. 왕위에 오른 뒤에 왕권 강화와 중앙 집권화를 추진하였으며 병부를 설치하고 율령을 반포하였다.

・ 보기 ・
ㄱ. 불교를 공인하였다.
ㄴ. 순장을 금지하였다.
ㄷ. 상대등을 설치하였다.
ㄹ. 국호를 '신라'로 확정하였다.

① ㄱ, ㄴ　　② ㄱ, ㄷ　　③ ㄴ, ㄷ
④ ㄴ, ㄹ　　⑤ ㄷ, ㄹ

11 지도는 삼국 시대 어느 왕이 세운 비석들을 표시한 것이다. 이 지도를 활용한 탐구 활동의 주제로 가장 적절한 것은?

① 법흥왕의 불교 공인
② 장수왕의 평양 천도
③ 진흥왕의 영토 확장
④ 근초고왕의 마한 통합
⑤ 광개토 대왕의 신라 지원

내공 4 　삼국의 발전과 항쟁

종요 12 지도와 같은 형세가 나타난 시기의 역사적 사실로 옳은 것은?

① 신라가 금관가야를 병합하였다.
② 고구려가 수도를 평양으로 옮겼다.
③ 백제와 신라가 동맹을 체결하였다.
④ 고구려가 충주 고구려비를 건립하였다.
⑤ 백제의 평양성 공격으로 고국원왕이 전사하였다.

13 지도를 통해 알 수 있는 삼국의 정세로 옳은 것은?

① 신라와 백제의 동맹이 깨졌다.
② 고구려가 전연의 침입을 받았다.
③ 신라가 한강 유역을 차지하였다.
④ 고구려가 남진 정책을 추진하였다.
⑤ 백제가 고구려의 평양성을 공격하였다.

중요 14 신라가 지도와 같이 영토를 확장한 시기의 역사적 사실로 옳은 것은?

① 백제가 마한을 통합하였다.
② 고구려가 태학을 설립하였다.
③ 금관가야가 가야 연맹을 주도하였다.
④ 신라가 화랑도를 국가적 조직으로 개편하였다.
⑤ 신라에서 박·석·김 3성이 번갈아 왕위를 차지하였다.

내공 5 가야 연맹의 성립과 멸망

중요 15 지도와 같이 가야 연맹의 맹주가 변화한 원인으로 옳은 것은?

① 백제와 신라가 동맹을 맺었다.
② 신라가 금관가야를 정복하였다.
③ 신라가 한강 유역을 차지하였다.
④ 백제가 마한의 남은 세력을 정복하였다.
⑤ 고구려가 신라에 침입한 왜를 격퇴하였다.

16 가야에 대한 설명으로 옳지 <u>않은</u> 것은?

① 신라에 멸망하였다.
② 변한 지역에서 성립하였다.
③ 중앙 집권 국가로 성장하였다.
④ 낙랑, 왜 등과 활발히 교류하였다.
⑤ 대가야가 후기 가야 연맹을 주도하였다.

서술형 문제

17 삼국이 중앙 집권 국가로 발전하는 과정에서 공통적으로 나타난 사실을 세 가지 서술하시오.

_____
_____
_____

18 다음 자료를 보고 물음에 답하시오.

자료 1
• 백제와 신라는 옛날부터 복속된 백성으로 조공을 바쳐 왔다.
• 광개토 대왕은 백제를 공격해 아신왕의 항복을 받아 내고, 신라에 침입한 왜를 물리쳤다.
– 광개토 대왕릉비문 요약

자료 2

경주의 한 무덤에서 고구려 광개토 대왕을 가리키는 이름이 새겨진 그릇이 발견되었다.

國罡上廣開土地好太王
국강상광개토지호태왕

(1) 자료 2에 제시된 유물의 이름을 쓰시오.

_____

(2) 자료 1과 자료 2를 통해 알 수 있는 당시의 역사적 사실을 서술하시오.

_____
_____

04 삼국의 문화와 대외 교류

내공 1 삼국의 문화 발전

1 불교의 수용과 불교 예술의 발전
(1) 불교의 수용: 왕권 강화 과정에서 왕실이 적극 불교 수용 → 지방 세력 포용, 백성의 사상 통합
(2) 불교 예술의 발전 ┌ 신라 선덕 여왕 때 만들어졌으나, 고려 시대에 몽골의 침입으로 불타 없어져 현재는 남아 있지 않아.
① 사찰: 황룡사(신라 진흥왕이 건설), 미륵사(백제 무왕이 건설)
② 탑: 황룡사 9층 목탑·경주 분황사 모전 석탑(신라), 익산 미륵사지 석탑·부여 정림사지 5층 석탑(백제)

┌ 돌을 벽돌 모양으로 다듬어 쌓았어.
┌ 우리나라에 현존하는 석탑 중 가장 크고 오래되었어.

▲ 경주 분황사 모전 석탑   ▲ 익산 미륵사지 석탑

③ 불상: 금동 연가 7년명 여래 입상(고구려), 서산 용현리 마애 여래 삼존상(백제), 경주 배동 석조 여래 삼존 입상(신라)
└ 삼국 시대에는 미륵 신앙이 널리 퍼지면서 미륵보살 반가 사유상이 많이 만들어졌어.

앞   뒤
┌ 연가 7년

▲ 금동 연가 7년명 여래 입상   ▲ 서산 용현리 마애 여래 삼존상
중국 북위의 불상 양식과 비슷하며 고구려 것으로 보이는 '연가'라는 연호가 새겨져 있어.   '백제의 미소'로 유명한 불상이야.

2 도교의 수용
(1) 도교: 불로장생을 추구하는 신선 사상과 산천 숭배 등 결합
(2) 도교의 수용: 도교 장려 → 귀족 사회 중심으로 유행, 고분 벽화의 사신도(고구려), 산수무늬 벽돌·금동 대향로(백제)

▲ 강서대묘 사신도 중 현무도   ▲ 백제 산수무늬 벽돌   ▲ 백제 금동 대향로
도교에서는 북쪽은 현무, 남쪽은 주작, 동쪽은 청룡, 서쪽은 백호가 지켜준다고 믿었어. 이들을 사신이라고 해.

3 학문과 과학 기술의 발달
(1) 학문의 발달
① 학문 교육: 한자 보급과 유학 전래로 학문 발달, 교육 실시

고구려	태학 설립(유교 경전과 역사 교육)
백제	오경박사(유교 경전)·의박사(의학)·역박사(천문, 역법)가 교육
신라	임신서기석(젊은이가 유교 경전 공부 맹세)

└ 「유기」를 간추렸어.

② 역사서 편찬: 중앙 집권 체제를 강화하면서 편찬, 『신집』(고구려 영양왕), 『서기』(백제 근초고왕), 『국사』(신라 진흥왕)

"임신년 6월 16일 두 사람이 맹세하여 쓴다. …… 시, 상서, 예기, 춘추를 차례로 공부하여 익히며 기간은 3년으로 한다."

(2) 과학 기술의 발달
① 천문학 발달: 천체 현상이 왕의 권위와 연결된다고 여김, 농업을 위한 천체 관측 중시 → 천문도(고구려의 고분 벽화), 첨성대(신라의 천문 관측기구)
② 수학 발달: 토지 측량, 고분과 탑 제작에 수학 지식 활용
③ 금속 공예 기술 발달: 백제의 칠지도와 금동 대향로, 신라의 금관과 장신구 등

내공 2 삼국의 생활 모습과 고분 문화의 발달

1 삼국의 생활 모습
(1) 신분제 확립: 영토 확장과 지배 체제 정비 과정에서 확립, 왕족을 비롯한 귀족·평민·천민으로 구분, 신라는 골품제 존재

등급	관등명	골품				복색
		진골	6두품	5두품	4두품	
1	이벌찬					자색
2	이찬					
3	잡찬					
4	파진찬					
5	대아찬					
6	아찬					비색
7	일길찬					
8	사찬					
9	급벌찬					
10	대나마					청색
11	나마					
12	대사					황색
13	사지					
14	길사					
15	대오					
16	소오					
17	조위					

◀ 신라의 골품과 관등표 | 신라에서는 지배층을 중심으로 한 신분 제도인 골품제가 존재하였다. 골품에 따라 관직 진출 범위, 집의 크기, 소유할 수 있는 말의 수 등이 달랐다.

(2) 귀족의 생활 모습: 쌀밥과 고기를 주로 먹음, 기와집에 거주, 화려한 비단옷 착용, 장신구로 치장
(3) 평민의 생활 모습: 조, 수수, 기장, 보리, 콩 등 잡곡 섭취, 귀틀집이나 초가집에 거주, 삼베옷을 지어 입음

2 고분 문화의 발달
(1) 고분 제작

┌ 고구려와 유사한 형태였어. (예: 서울 석촌동 고분)
┌ 중국 남조의 영향을 받았어. (예: 무령왕릉)

고구려	돌무지무덤(초기) → 굴식 돌방무덤(4세기 이후, 벽화 그림)
백제	계단식 돌무지무덤(한성 시기) → 굴식 돌방무덤, 벽돌무덤 (웅진 시기 이후)
신라	돌무지덧널무덤 → 굴식 돌방무덤(6세기 말 이후)
가야	돌덧널무덤(구덩이에 돌로 벽을 쌓고 시신을 묻는 양식)

널길   나무 덧널
널방   꺼묻거리 상자   널
앞방 — 이음길

▲ 굴식 돌방무덤의 구조   ▲ 돌무지덧널무덤의 구조

(2) 꺼묻거리와 고분 벽화
① 꺼묻거리: 백제의 무령왕릉과 신라의 돌무지덧널무덤에서 금관, 장신구 등 출토, 신라와 가야는 노비도 묻음(순장)

돌로 널방을 만들어 통로를 연결한 후, 그 위에 흙을 덮었어. 널방의 천장과 벽에 벽화를 그렸지. (예: 고구려 무용총)

나무 덧널 위에 돌을 쌓은 뒤 흙을 덮었어. 도굴이 어려워 많은 꺼묻거리가 보존되어 있어. (예: 천마총)

② 고분 벽화: 굴식 돌방무덤의 돌방에 인물, 생활 풍속, 도교의 사신 등을 그림

▲ 무용총 벽화　　▲ 부여 능산리 1호분 벽화　▲ 강서대묘 현무도

내공 3 삼국의 대외 교류

1 중국과의 교류 ┌중국 칠현금을 개조하였어.
(1) 고구려: 중국 남북조와 교류, 한자·유학·불교·도교 등 수용 (왕산악이 거문고 제작), 고구려의 음악·무용 전파
(2) 백제: 중국 남조와 활발히 교류, 토기와 고분 양식 수용
(3) 신라: 고구려와 백제를 통해 중국 문화 수용 → 한강 유역 점령 이후 중국과 직접 교류
(4) 가야: 백제에 의존해 중국 문물 수입 → 5세기 후반 남조에 사신을 파견해 직접 교류 시도

2 서역과의 교류
(1) 고구려: 고구려 고분 벽화에 서역 계통 인물 등장, 서역 궁전 벽화에 고구려 사신 추정 인물 존재
(2) 신라: 서역의 유리 제품과 보검이 경주 고분에서 출토

▲ 아프라시아브 궁전 벽화　　▲ 경주 고분에서 출토된 서역의 제품
└ 사마르칸트에 있는 아프라시아브 궁전 벽화에서 고구려 사신으로 추정되는 사람이 발견되었어.

3 일본으로의 문화 전파
(1) 내용
┌공자와 제자들의 언행을 기록한 유교 경전이야.

고구려	혜자(쇼토쿠 태자의 스승이 됨)·담징(종이와 먹의 제조법 전파) 활약, 다카마쓰 고분 벽화가 고구려의 영향을 받음
백제	삼국 중 일본과 가장 활발히 교류, 오경박사·역박사·의박사·공예 기술자 등이 활약(아직기, 왕인: 한문, 천자문, 논어 전파), 불교와 사찰 건축 및 불상 제작 기술 등 전파
신라	배 만드는 기술(조선술), 둑 쌓는 기술(축제술) 전파
가야	철 수출, 철갑옷 전래, 토기 제작 기술 전파

┌가야 토기의 영향을 받아 스에키
(2) 의의: 일본의 아스카 문화 형성에 기여 └ 라는 일본 토기가 제작되었어.

▲ 고구려 수산리 고분 벽화와 일본의 다카마쓰 고분 벽화
◀ 삼국과 가야 문화의 일본 전파
이 일본의 다카마쓰 고분 벽화는 그림 속 여인들의 의상뿐만 아니라 벽화 제작 기술, 화풍 등이 고구려와 유사해.

개념 확인하기

1 다음 설명에 해당하는 불교 문화유산을 〈보기〉에서 골라 기호를 쓰시오.

┌ 보기
ㄱ. 황룡사 9층 목탑
ㄴ. 경주 분황사 모전 석탑
ㄷ. 금동 연가 7년명 여래 입상
ㄹ. 서산 용현리 마애 여래 삼존상

(1) 고구려의 대표적인 불상으로 중국 북위의 영향을 받았다.　　　　　　　　(　　　)
(2) 바위에 조각한 불상으로, '백제의 미소'로 널리 알려져 있다.　　　　　　(　　　)
(3) 돌을 벽돌 모양으로 다듬어 쌓은 것으로, 현존하는 신라 탑 가운데 가장 오래되었다.　(　　　)
(4) 신라에서 선덕 여왕 때 만들어졌으나 고려 시대 몽골의 침입 때 불에 타 남아 있지 않다.　(　　　)

2 7세기에 건립되었으며 천문 관측기구로 추정되는 신라의 건축물을 쓰시오.

3 신라에는 개인의 관직 진출부터 일상생활에 이르기까지 제한을 두는 신분 제도로 (　　　　　)가 존재하였다.

4 다음 설명이 맞으면 ○표, 틀리면 ✕표를 하시오.
(1) 신라의 돌무지덧널무덤에는 많은 벽화가 남아 있다.　　　　　　　　　　(　　　)
(2) 백제는 한성 시기에 고구려의 돌무지무덤과 유사한 형태의 계단식 돌무지무덤을 만들었다.　(　　　)
(3) 고분에서 발견되는 껴묻거리와 벽화 등을 통해 삼국 시대 사람들의 생활 모습을 유추할 수 있다.　(　　　)

5 삼국과 가야 문화의 일본 전파 내용을 옳게 연결하시오.
(1) 가야　　·　　　　　·㉠ 한문과 논어
(2) 백제　　·　　　　　·㉡ 토기 제작 기술
(3) 신라　　·　　　　　·㉢ 조선술과 축제술
(4) 고구려　·　　　　　·㉣ 종이와 먹의 제조법

족집게 문제

삼국의 문화 발전

중요 1 다음 사실을 보여 주는 문화유산으로 옳지 <u>않은</u> 것은?

> 삼국은 왕권을 강화하는 과정에서 불교를 수용하였다. '왕은 곧 부처'라는 사상을 바탕으로 왕의 권위를 높이고, 백성의 사상을 통합하고자 하였다. 불교가 전해진 뒤 삼국에서는 불교 예술이 발달하였다.

①  ②   ③

④  ⑤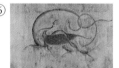

2 다음 유물에 대한 설명으로 옳은 것은?

문화재 검색	검색

- 종목: 국보 제287호
- 크기: 높이 61.8cm, 무게 11.8kg
- 소재: 국립 부여 박물관

부여 능산리 고분군 옆 절터에서 발견된 대형 향로입니다. 봉황, 산천, 용, 연꽃 등이 조화롭게 표현되어 있습니다.

① 서역에서 들어온 물품이다.
② 도교 사상이 반영되어 있다.
③ 당시 청년이 유학을 공부하였음을 알려 준다.
④ 신라의 뛰어난 금속 공예 기술을 보여 준다.
⑤ 삼국 문화가 일본에 전파된 것을 증명하는 유물이다.

3 (가)에 들어갈 내용으로 가장 적절한 것은?

> **삼국 시대 유학의 발달**
> 〈수행 평가 – 역사 탐구 주제들〉
> 1. 고구려 : 태학 설립 배경
> 2. 백제 : 오경박사 제도의 활용
> 3. 신라 : (가)

① 임신서기석의 내용
② 칠지도의 제작 배경
③ 고분 벽화 중 천문도의 의미
④ 산수무늬 벽돌에 나타난 사상
⑤ 경주 분황사 모전 석탑의 특징

삼국의 생활 모습과 고분 문화의 발달

[4~5] 다음 표를 보고 물음에 답하시오.

등급	관등명	(가)				복색
		진골	6두품	5두품	4두품	
1	이벌찬					자색
2	이찬					
3	잡찬					
4	파진찬					
5	대아찬					
6	아찬					비색
7	일길찬					
8	사찬					
9	급벌찬					
10	대나마					청색
11	나마					
12	대사					황색
13	사지					
14	길사					
15	대오					
16	소오					
17	조위					

주관식

4 (가)에 들어갈 알맞은 말을 쓰시오.

5 위 표가 나타내는 제도에 대한 설명으로 옳은 것을 〈보기〉에서 고른 것은?

> • 보기 •
> ㄱ. 백제에서 실시하였다.
> ㄴ. 진한의 소국일 때 마련되었다.
> ㄷ. 관등에 따라 관복 색깔이 달랐다.
> ㄹ. 신분에 따라 정치 진출이 제한되었다.

① ㄱ, ㄴ ② ㄱ, ㄷ ③ ㄴ, ㄷ
④ ㄴ, ㄹ ⑤ ㄷ, ㄹ

6 삼국 시대 사람들의 생활 모습에 대한 설명으로 옳지 <u>않</u>은 것은?

① 귀족은 비단옷을 입었다.
② 평민은 대부분 기와집에서 살았다.
③ 조·콩·보리·수수 등 잡곡은 평민이 주로 먹었다.
④ 고분 벽화나 껴묻거리 등을 통해 파악해 볼 수 있다.
⑤ 왕족을 비롯한 귀족, 평민, 천민으로 신분이 구분되었다.

[7~8] 다음 그림을 보고 물음에 답하시오.

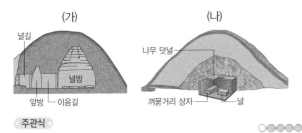

(가)   (나)

주관식

7 (가), (나) 고분 양식의 명칭을 각각 쓰시오.

주요 8 (가), (나) 양식으로 만들어진 고분에 대한 설명으로 옳은 것을 〈보기〉에서 고른 것은?

• 보기 •
ㄱ. (가) – 무령왕릉이 대표적이다.
ㄴ. (가) – 널방에 벽화가 그려져 있다.
ㄷ. (나) – 가야 특유의 고분 양식이다.
ㄹ. (나) – 도굴이 어려워 많은 껴묻거리가 보존되었다.

① ㄱ, ㄴ   ② ㄱ, ㄷ   ③ ㄴ, ㄷ
④ ㄴ, ㄹ   ⑤ ㄷ, ㄹ

내공 3 **삼국의 대외 교류**

9 삼국 시대 주변 국가와의 문화 교류에 대한 설명으로 옳은 것을 〈보기〉에서 고른 것은?

• 보기 •
ㄱ. 신라는 중국과 직접 교류한 적이 없었다.
ㄴ. 백제는 중국 남조 및 왜와 활발히 교류하였다.
ㄷ. 일본 스에키의 영향을 받아 가야 토기가 제작되었다.
ㄹ. 아프라시아브 궁전 벽화에 고구려 사신이 그려져 있다.

① ㄱ, ㄴ   ② ㄱ, ㄷ   ③ ㄴ, ㄷ
④ ㄴ, ㄹ   ⑤ ㄷ, ㄹ

10 지도의 (가)~(라)를 통해 일본에 전파된 삼국과 가야 문화로 옳은 것을 〈보기〉에서 고른 것은?

• 보기 •
ㄱ. (가) – 종이 제조법
ㄴ. (나) – 한문, 논어, 천자문
ㄷ. (다) – 철기와 토기 제작 기술
ㄹ. (라) – 조선술과 축제술

① ㄱ, ㄴ   ② ㄱ, ㄷ   ③ ㄴ, ㄷ
④ ㄴ, ㄹ   ⑤ ㄷ, ㄹ

서술형 문제

11 다음 내용을 뒷받침하는 사례를 <u>두 가지</u> 서술하시오.

삼국에서는 천문학이 발달하였다. 천체 현상이 왕의 권위와 연결된다고 여겼고, 농업을 위한 천체 관측이 중요하였기 때문이다.

12 다음 유물들을 통해 알 수 있는 사실을 서술하시오.

▲ 서역의 유리 제품(경북 경주)   ▲ 경주 계림로 보검

신라의 삼국 통일과 발해의 건국

내공 1 고구려의 수·당의 침략 격퇴

1 6세기 후반의 동아시아 정세

(1) 배경
① 삼국: 6세기 중반 신라가 한강 유역 차지 → 고구려와 백제의 신라 협공 → 신라가 수에 도움 요청
② 중국: 6세기 후반 수가 남북조 통일 → 고구려가 위협을 느끼고 돌궐과 연결
(2) 내용: 남북 세력(돌궐 – 고구려 – 백제 – 왜)과 동서 세력 (신라 – 수·당)의 대립
└ 신라와 적대 관계에 있던 백제는 고구려, 왜와 손잡았어.

▲ 6세기 후반~7세기 초의 동아시아 정세

2 고구려와 수의 전쟁

(1) 수 문제의 침략: 수가 고구려에 복속 요구 → 고구려가 거절·요서 지방 공격 → 수 문제가 고구려를 침략했으나 실패
(2) 수 양제의 침략: 수 양제가 113만 대군을 이끌고 침략했으나 요동성 공격 실패 → 30만 별동대로 평양성 공격 → 을지문덕이 살수(청천강)에서 수 군대 격퇴(살수 대첩, 612)
(3) 결과: 무리한 고구려 원정으로 국력을 소모한 수는 각지의 반란으로 멸망(618)

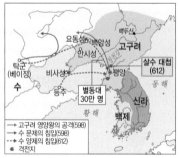

▲ 고구려와 수의 전쟁

3 연개소문의 집권

(1) 고구려와 당의 관계: 당은 건국 초 고구려와 친선 관계 체결 → 당 태종이 고구려를 압박 → 고구려는 연개소문을 보내 천리장성을 쌓고 당의 침략에 대비
(2) 연개소문의 집권: 연개소문이 정변을 일으켜 권력 장악 (642) → 신라 공격, 당 견제 등 강경한 태도를 취함
└ 연개소문은 왕과 귀족들을 제거하고 보장왕을 세운 후 스스로 대막리지가 되었어.

4 고구려와 당의 전쟁

(1) 당 태종의 침략: 당 태종이 연개소문의 정변을 구실로 고구려 침입, 안시성 공격 → 안시성 성주와 백성이 결사적으로 저항해 당군 격퇴(안시성 싸움, 645)
(2) 고구려의 수·당의 침략 격퇴 결과: 고구려가 독자적인 세력권 유지, 오랜 전쟁으로 고구려의 국력 약화
└ 고구려는 견고한 산성과 이를 이용한 전술, 우수한 제철 기술로 제작한 강력한 철제 무기와 갑옷, 이에 따른 우수한 전투력으로 수, 당의 침입을 막아 냈어.

▲ 고구려와 당의 전쟁

내공 2 신라의 삼국 통일

└ 백제는 신라의 40여 개 성을 빼앗고, 낙동강 서쪽의 대야성까지 진출해 신라를 위협하였어.

1 신라와 당의 동맹

(1) 배경: 백제 의자왕의 신라 공격 → 신라가 고구려와 왜에 도움을 요청하였다가 거절당함
└ 고구려는 신라에 죽령 이북 땅을 돌려 줄 것을 요구하여 협상이 결렬되었어.
(2) 나당 동맹 결성: 신라 김춘추가 당에 군사 동맹 제안 → 고구려 침략에 실패한 당이 제안을 수용해 동맹 결성(648)
└ 당은 대동강 이북의 땅을 넘겨받는 조건으로 신라의 제안을 수용하였다.

2 백제와 고구려의 멸망

(1) 백제의 멸망: 지배층의 분열로 정치 혼란 → 황산벌 전투 → 나당 연합군의 사비성 함락(660)
└ 김유신의 신라군이 황산벌에서 백제 계백의 결사대를 물리쳤어.
(2) 고구려의 멸망: 연개소문이 죽은 뒤 지배층의 권력 다툼으로 정치 혼란 → 나당 연합군의 평양성 함락(668)

3 백제와 고구려의 부흥 운동
└ 일본에 가 있던 왕자 부여풍을 맞이하여 왕으로 추대하였어.

(1) 백제 부흥 운동: 복신·도침(주류성), 흑치상지(임존성) 등이 전개 → 지도층이 분열, 도우러 온 왜군이 백강 전투에서 패배해 실패(663) → 많은 백제 유민이 일본으로 망명
(2) 고구려 부흥 운동: 고연무(요동 지방), 검모잠(한성) 등이 전개 → 지도층의 분열로 실패
└ 검모잠이 왕으로 추대하였던 보장왕의 아들 안승이 검모잠을 죽이고 신라에 망명했어.

▲ 백제와 고구려의 부흥 운동

4 나당 전쟁과 삼국 통일

> 신라는 고구려의 안승을 보덕국의 왕으로 임명하였어.

(1) **배경**: 당이 웅진도독부(백제), 안동도호부(고구려), 계림도독부(신라)를 설치하여 한반도 전체를 지배하려 함

(2) **나당 전쟁**: 신라의 백제 유민과 고구려 유민 포섭, 웅진과 사비 지역 공격 → 매소성·기벌포 전투에서 당군 격파

(3) **삼국 통일**: 대동강 이남 지역에서 당을 내쫓고 완성(676)

(4) **삼국 통일의 의의와 한계**

> 신라는 당의 세력을 이용한 결과, 고구려 영토였던 요동과 만주 지역을 상실하였어.

① **의의**: 고구려·백제 유민과 힘을 합쳐 당의 침입을 물리침, 민족 최초의 통일, 새로운 민족 문화 발전의 토대 마련

② **한계**: 당의 세력을 끌어들임, 대동강 이남 지역만 차지

> 오랜 전쟁으로 고통 받던 백성들은 평화와 안정을 얻었어.

> • 김춘추가 당 황제를 찾아가 군사를 요청한 것은 백제와 고구려를 정복함으로써 몇 년 동안 맺혔던 원수를 갚고 백성들의 목숨을 구하기 위해서였습니다. – 김부식, 「삼국사기」
> • 다른 민족을 끌어들여 같은 민족을 멸망시키는 것은 도적을 불러들여 형제를 죽이는 것과 같습니다. 김춘추가 당을 불러들여 고구려와 백제를 멸망시킨 것은 반민족적인 일입니다. – 신채호, 「독사신론」

▲ 신라의 삼국 통일의 의의와 한계

내공 3 발해의 건국

1 발해의 건국

(1) **배경**: 고구려 멸망 뒤 당이 고구려 유민을 요서 지역 등 당의 여러 지역으로 이주시킴

(2) **건국**: 고구려 장수 출신 대조영이 고구려 유민과 말갈인 일부를 이끌고 요서 지역의 영주에서 요동 지역으로 이동 → 당군의 추격을 물리치고 지린성 동모산에서 건국(698)

(3) **결과**: 신라와 발해가 남북국의 형세를 이룸

> 통일 신라
> 부여씨가 망하고 고씨가 망하자 김씨는 남쪽을 차지했고, 대씨가 북쪽을 차지하고 이름을 발해라고 하였는데 이것이 남북국이다. 그러니 마땅히 남북국사가 있어야 하는데 고려가 이를 쓰지 않았으니 잘못이다. – 유득공, 「발해고」

▲ 남북국 시대

2 발해의 주민 구성과 고구려 계승 의식

> 발해 지배층의 대다수였어. 대씨뿐만 아니라 고구려 왕족 출신인 고씨가 많았어.

(1) **주민 구성**: 고구려 유민과 말갈인으로 구성

(2) **고구려 계승 의식**: 고구려 유민 중심으로 건국, 발해 왕이 일본에 보내는 국서에 고려(고구려) 국왕이라고 표현

> • 대조영은 본래 고려(고구려)의 별종이다. …… (고구려, 말갈) 무리를 이끌고 …… 동모산에 성을 쌓고 살았다. – 「구당서」
> • (발해는) 고려(고구려) 옛 땅을 수복하고, 부여의 풍속을 지니고 있다. – 발해가 일본에 보낸 국서
> • (일본)왕은 삼가 고려(고구려) 국왕에게 문안한다. – 「속일본기」

▲ 고구려를 계승한 발해

> 일본도 발해를 고려라고 불렀어.

---

1 다음 설명이 맞으면 ○표, 틀리면 ✕표를 하시오.

(1) 수의 등장에 위협을 느낀 고구려는 북쪽의 돌궐과 손을 잡았다. (　　)

(2) 고구려는 국경 지역에 천리장성을 축조하여 수의 공격에 대비하였다. (　　)

(3) 고구려는 우수한 제철 기술과 견고한 산성을 바탕으로 한 방어 전술로 전쟁에서 승리하였다. (　　)

2 다음 사건들을 일어난 순서대로 나열하시오.

> (가) 나당 연합군이 사비성을 함락하였다.
> (나) 나당 연합군이 평양성을 함락하였다.
> (다) 왜군이 백강 전투에서 나당 연합군에 패하였다.
> (라) 신라가 기벌포 전투에서 당의 수군을 격파하였다.

3 다음 괄호 안의 내용 중 알맞은 말에 ○표를 하시오.

(1) 발해 주민은 고구려 유민과 (거란, 말갈)인으로 구성되었다.

(2) 을지문덕이 이끄는 고구려군은 (당, 수)의 군대를 살수에서 크게 무찔렀다.

(3) 복신과 도침은 부여풍을 왕으로 맞이하여 주류성에서 (백제, 고구려) 부흥을 꾀하였다.

4 다음 사건과 관련된 내용을 옳게 연결하시오.

(1) 살수 대첩 ·　　　 · ㉠ 나당 전쟁

(2) 매소성 전투 ·　　　 · ㉡ 백제의 멸망

(3) 안시성 싸움 ·　　　 · ㉢ 당의 고구려 침략

(4) 황산벌 전투 ·　　　 · ㉣ 수의 고구려 침략

5 다음 빈칸에 들어갈 말을 쓰시오.

(1) (　　　　)은 지린성 동모산에 도읍을 정하고 발해를 건국하였다.

(2) 발해의 왕은 일본에 보낸 국서에 (　　　　) 계승 의식을 분명히 나타냈다.

내공 **1** 고구려의 수·당의 침략 격퇴

1 지도에 나타난 동아시아의 정세에 대한 설명으로 옳지 <u>않은</u> 것은?

① 수가 중국을 통일하였다.
② 백제가 고구려, 왜와 손을 잡았다.
③ 신라가 고구려와 백제의 협공을 받았다.
④ 백제는 고구려의 공격을 받아 도읍을 옮겼다.
⑤ 수의 등장에 위협을 느낀 고구려는 돌궐과 손을 잡았다.

주관식

2 밑줄 친 '사건'의 명칭을 쓰시오.

신묘한 계책은 천문을 꿰뚫어 볼 만하고, 오묘한 전술은 땅의 이치를 모조리 알았도다. 전쟁에 이겨서 공이 이미 높아졌으니 만족을 알거든 그만두기를 바라노라.

이 시는 을지문덕이 우중문에게 보낸 것입니다. 이 시와 관련이 있는 사건은 무엇일까요?

3 다음 사건이 일어난 시기를 연표에서 옳게 고른 것은?

고구려의 연개소문은 정변을 일으켜 보장왕을 세우고 스스로 행정권과 군사권을 장악한 최고 관직인 대막리지가 되었다.

① (가)   ② (나)   ③ (다)   ④ (라)   ⑤ (마)

내공 **2** 신라의 삼국 통일

중요 **4** (가)에 들어갈 내용으로 가장 적절한 것은?

① 살수 대첩   ② 관산성 전투
③ 매소성 전투   ④ 사비성 함락
⑤ 안시성 싸움

5 지도에 표시된 인물들이 전개한 활동에 대한 설명으로 옳은 것은?

① 검모잠은 요동 지방에서 당군과 싸웠다.
② 안승은 백제 부흥을 위해 군사를 일으켰다.
③ 복신과 도침은 부여풍을 왕으로 맞이하였다.
④ 흑치상지는 고구려 부흥 운동을 전개하였다.
⑤ 고연무는 신라의 지원으로 보덕국의 왕이 되었다.

6 다음 전투의 결과에 대한 설명으로 옳은 것은?

663년에 백강에서 네 차례의 전투가 벌어졌다. 이 전투에서 왜의 함선 대부분이 불에 타는 피해를 입고 돌아갔다.

① 백제가 멸망하였다.
② 나당 동맹이 체결되었다.
③ 신라가 한강 유역을 차지하였다.
④ 백제 부흥 운동이 실패로 끝났다.
⑤ 당의 한반도 전체 지배 의도가 좌절되었다.

출제율 ●●●●● 시험에 꼭 나오는 출제 가능성이 높은 예상 문제로, 내신 100점을 받기 위한 필수 문항들

7 (가)에 들어갈 인물로 옳은 것은?

> • [(가)]이/가 당 황제를 찾아가 군사를 요청한 것은 백제와 고구려를 정복함으로써 몇 년 동안 맺혔던 원수를 갚고 백성들의 목숨을 구하기 위해서였습니다.
> – 김부식, 「삼국사기」
> • 다른 민족을 끌어들여 같은 민족을 멸망시키는 것은 도적을 불러들여 형제를 죽이는 것과 같습니다. [(가)]이/가 당을 불러들여 고구려와 백제를 멸망시킨 것은 반민족적인 일입니다. – 신채호, 「독사신론」

① 계백   ② 김유신   ③ 김춘추
④ 연개소문   ⑤ 을지문덕

내공 3 　　**발해의 건국**

8 다음 두 자료를 통해 공통적으로 알 수 있는 발해의 특징으로 옳은 것은?

> • 대조영은 본래 고려(고구려)의 별종이다. …… (고구려, 말갈) 무리를 이끌고 …… 동모산에 성을 쌓고 살았다. – 「구당서」
> • (일본)왕은 삼가 고려(고구려) 국왕에게 문안한다. – 「속일본기」

① 고구려 계승 의식이 있었다.
② 다수의 말갈인이 피지배층이었다.
③ 돌궐, 일본과 친선 관계를 맺었다.
④ 당의 선진 문물과 제도를 받아들였다.
⑤ 당과 대등한 국가라는 입장을 취하였다.

9 (가), (나)에 들어갈 내용을 옳게 연결한 것은?

> 부여씨가 망하고 고씨가 망하자 김씨는 남쪽을 차지했고, [(가)]이/가 북쪽을 차지하고 이름을 [(나)](이)라고 하였는데 이것이 남북국이다. 그러니 마땅히 남북국사가 있어야 하는데 고려가 이를 쓰지 않았으니 잘못이다. – 유득공, 「발해고」

	(가)	(나)		(가)	(나)
①	고씨	발해	②	고씨	부여
③	대씨	발해	④	대씨	고구려
⑤	부여씨	부여			

---

10 다음 상황을 극복하기 위한 고구려의 대응을 서술하시오.

> 신라가 고구려로부터 한강 유역을 빼앗은 뒤, 중국을 통일한 수가 주변으로 세력을 확장하기 시작하자 고구려는 위협을 느꼈다.

_____

_____

_____

11 다음 대화를 보고 물음에 답하시오.

> [㉠]의 공격에 저희 신라가 위기에 처했습니다. (가)

> 우리 당은 얼마 전에 [㉡]에 패한 바 있습니다만, 대동강 이북 땅을 준다면 신라의 제의를 받아들이겠소이다.

김춘추 / 당 태종

(1) ㉠, ㉡에 들어갈 나라를 각각 쓰시오.

_____

(2) (가)에 들어갈 내용을 (1)을 포함하여 서술하시오.

_____

_____

_____

12 (가)에 들어갈 국가를 쓰고, 밑줄 친 부분의 근거를 두 가지 서술하시오.

> [(가)] 주민은 고구려 유민과 말갈인으로 구성되었다. [(가)]의 지배층에는 고구려 유민이 많았고, 말갈인이 일부 포함되었다. [(가)]은/는 고구려 유민이 중심이 되어 세운 나라인 만큼 고구려 계승 의식이 강하였다.

_____

_____

_____

_____

02 남북국의 발전과 변화

내공 1 통일 후 신라의 왕권 강화와 통치 제도 정비

1 신라의 왕권 강화 ┌ 신라에서는 성골이 왕위를 이었으나 진덕
여왕을 끝으로 성골이 소멸하였기 때문이야.
(1) **무열왕**: 진골 출신으로는 처음으로 왕위에 오름 → 이후 무열왕의 직계 자손들이 왕위 계승
(2) **문무왕**: 고구려를 멸망시키고 나당 전쟁에서 승리해 삼국 통일 완성 → 영토 확장, 정치적 안정 이룩, 삼국 통합
(3) **신문왕** ┌ 신문왕의 장인이자 진골 귀족의 대표인 김흠돌이
반란을 꾀하다가 발각되어 처형되었어.
① 진골 귀족 제압: 김흠돌의 난 진압, 진골 귀족 숙청
② 국학 설치: 유학적 소양이 있고, 왕권을 뒷받침할 인재 양성
③ 통치 제도 정비: 관료전 지급 및 녹읍 혁파 후 녹봉 지급, 중앙과 지방의 통치 제도 정비(9주 5소경 설치), 군사 제도 정비(9서당 10정 마련) → 강력한 왕권 확립
└ 문무왕의 아들로 경주 감은사를 세웠어.

2 신라의 통치 제도 정비
(1) **중앙 정치 제도**: 집사부(왕명을 수행) 중심으로 중앙 정치 운영 → 시중(집사부 장관)의 권한 강화, 귀족을 대표하는 화백 회의의 기능·상대등의 역할 축소, 6두품의 성장
(2) **지방 행정 제도**: 9주 5소경 설치 ┌ 왕을 도와 행정 실무를 담당하고 왕의
정치적 조언자 역할을 하며 성장하였어.
① 9주: 전국을 9주로 구분, 그 아래에 군·현을 두어 지방관 파견(촌은 토착 세력을 촌주로 임명하여 관리)
② 5소경: 지방의 주요 지역에 설치 → 수도 금성(경주)이 동남쪽에 치우친 점을 보완, 지방 정치와 문화의 중심지
┌ 일부 중앙 귀족, 옛 가야,
고구려와 백제 귀족을 이
곳으로 이사시켰어.

◀ **9주 5소경** | 삼국 통일로 넓어진 영토와 늘어난 인구를 효율적으로 다스리고 민족의 통합을 위해 신라는 지방 행정 제도를 9주 5소경 체제로 정비하였다.

(3) **군사 제도**: 9서당 10정 마련
① 중앙군: 9서당 설치, 고구려·백제 유민과 말갈인도 포함해 민족 융합 추구
② 지방군: 주마다 1정씩 배치, 국경 지역인 한주에는 2정을 배치해 총 10정 설치
(4) **토지 제도** ┌ 토지에서 세금을 거둘 수 있는 ┌ 수조권과 함께 노동력
권리인 수조권만 주었어. 징발 권한까지 주었어.
① 신문왕: 관리에게 관료전 지급, 녹읍 폐지 → 진골 귀족의 경제력 약화
┌ 백성에게 농사를 짓게
하고 조세를 거두었어.
② 성덕왕: 백성에게 정전 지급 → 국가 재정을 튼튼히 함
(5) **신라 촌락 문서**: 호구 조사 자료로 촌주가 3년마다 작성 → 세금 수취, 지방 농민을 효과적으로 지배

내공 2 발해의 발전과 통치 제도 정비

1 발해의 발전과 멸망 ┌ 무왕은 인안, 문왕은 대흥과 보력, 성왕은 중흥, 선왕은
건흥 등 발해의 왕들은 독자적인 연호를 사용하였어.
발해가 당과 대등하다는 의식이 있었던 거야.
(1) **무왕**
① 정치: 독자적인 연호 '인안' 사용
② 영토 확장: 만주 북부 지역까지 장악
③ 대외 관계: 돌궐, 일본 등과 친선 관계를 맺어 당과 신라 견제, 당의 산둥 지방 선제공격(장문휴 파견)
(2) **문왕**
① 정치: 상경 천도, 중앙과 지방의 통치 제도 정비
② 외교: 당과 친선 관계를 맺어 당의 문물과 제도 수용, 일본에 자주 사신 파견, 신라와 교류
(3) **선왕**: 9세기 전반에 연해주와 요동 지방까지 영토 확장, 대동강과 원산만을 경계로 신라와 국경을 맞댐 → 옛 고구려 영토의 대부분을 차지, 발해의 전성기 이룩
(4) **멸망** ┌ 이후 당은 발해를 '바다 동쪽의 융성한 나라'라는
뜻에서 '해동성국'이라고 불렀어.
① 쇠퇴와 멸망: 9세기 말 지배층의 권력 다툼으로 국력 약화 → 거란의 침략을 받아 멸망(926)
② 유민의 활동: 발해 부흥 운동 전개(정안국 건설 등), 왕자 대광현을 비롯한 발해 유민은 고려로 망명

2 발해의 통치 제도 정비 ┌ 당의 3성 6부제를 받아들여 조직하였으나
운영 방식과 이름이 달라 독자성이 있어.
(1) **중앙 정치 제도**: 3성 6부 설치
① 3성: 정당성(정책 집행)을 중심으로 운영
② 6부: 정당성 아래에 행정 실무를 담당하는 6부 설치
(2) **지방 행정 제도**: 5경 15부 62주로 조직
① 5경: 정치·군사적 중요 지역에 설치, 교통망 정비
② 15부 62주: 지방 행정의 중심지에 15부 설치, 그 아래 주·현을 두고 지방관 파견(말갈인 촌락은 토착 세력인 말갈 수령이 다스림)
┌ 6부의 명칭을 유교 덕목으로 바꿔 충·인·
의·지·예·신부로 하였어.
(3) **군사 제도**
① 중앙군: 10위 설치, 왕궁과 수도 경비
② 지방군: 지방의 전략적 요충지나 국경 지역에 지방군 배치

▲ **발해의 중앙 정치 제도**   ▲ **발해의 최대 영역과 5경**
┌ 유학 교육 기관으로 주자감을 설치하였는데
유학을 중시하는 통치 이념을 반영한 거야.

내공 ③ 신라의 동요와 후삼국의 성립

1 신라의 정치적 동요

(1) 배경: 8세기 후반 소수 진골 귀족에게 권력 집중 → 왕권 약화, 진골 귀족 세력의 분열

(2) 진골 귀족의 왕위 쟁탈전 발생: 혜공왕의 피살로 무열왕계 왕위 세습이 끊어짐, 이후 150년간 20명의 왕이 교체

(3) 지방 세력의 왕위 쟁탈전 개입: <u>김헌창의 난</u>, <u>장보고의 왕위 쟁탈전 가담</u>
└ 웅주 도독 김헌창이 자신의 아버지가 왕위에 오르지 못한 것에 불만을 품고 난을 일으켰어.
└ 해상 활동으로 세력을 키운 장보고가 이를 계기로 반대파에게 암살되었어.

2 농민의 봉기

(1) 배경: 정치적 동요로 귀족의 수탈 심화, 전염병과 자연재해 발생 → 농민은 토지를 잃고 노비, 도적으로 전락

(2) 발발: 9세기 말 정부의 조세 독촉 → <u>원종과 애노의 난</u>을 시작으로 전국 각지에서 농민 봉기 발발
└ 당시 도적이 되어 반란을 일으킨 농민을 초적이라고 해.

> • 진성 여왕 3년(889) 주와 군에서 공물과 부세를 바치지 않아 나라의 창고가 텅 비고 …… 왕이 사자를 보내 독촉하니, …… 도적들이 벌떼처럼 일어났다.
> • 진성 여왕 10년(896) 붉은 바지를 입은 도적이 경주 서남쪽에서 일어나 주와 현을 공격하고 모량리까지 이르러 민가를 약탈해 갔다.
> – 「삼국사기」

▲ 농민의 봉기

3 호족의 성장과 6두품의 사회 비판

(1) 호족의 성장

① 배경: 왕위 쟁탈전, 농민 봉기로 중앙 정부의 통제력 약화

② 호족의 성장: 자신의 근거지에 성을 쌓고 스스로를 성주 또는 장군이라 부르며 지방의 군사와 행정을 장악

③ 호족의 출신: 대부분 촌주 출신, 중앙에서 내려온 귀족·해상 세력·군진 세력 출신도 있음

(2) 6두품의 사회 비판

① 배경: 골품제로 관직 승진 제한, 당 유학

② 6두품의 사회 비판: 골품제 비판, 유교 사상을 바탕으로 한 개혁 주장(<u>최치원</u>), 호족과 함께 새로운 사회 건설을 추구
└ 6두품 출신으로 당에서 유학하고 돌아와 진성 여왕에게 올린 개혁안이 수용되지 않자, 관직을 버리고 전국을 돌아다니며 글을 남겼다.

4 선종과 풍수지리설의 유행

(1) 선종: 경전의 이론에 얽매이지 않고, 일상의 있는 그대로의 마음이 도이고 그 마음이 부처라는 불교 종파 → 호족과 백성이 호응, 호족의 후원으로 지방에 선종 사찰 건립

(2) 풍수지리설: 산과 하천의 형세가 길흉화복에 영향을 준다는 사상, 경주 중심의 지리 개념에서 벗어나 지방의 중요성 강조 → 선종과 함께 호족의 사상적 기반이 됨
└ 선종 승려인 도선이 널리 보급하였어.

5 후삼국의 성립

(1) 후백제: <u>견훤</u>이 완산주에서 후백제 건국(900), 전라도와 충청도, 경상도 일부를 지배
└ 상주 출신으로 서남 세력을 지키는 군진의 장교였는데 지방 세력으로 성장하였어.

(2) 후고구려: 궁예가 송악에서 후고구려 건국(901), 국호를 마진으로 바꿨다가 철원으로 천도한 후 다시 태봉으로 고침
└ 신라 왕족 출신으로 알려져 있는데, 원주 지역의 호족인 양길의 부하였다가 자립하였어.

---

1 다음에서 설명하는 기구나 제도를 〈보기〉에서 골라 기호를 쓰시오.

> • 보기 •
> ㄱ. 국학   ㄴ. 5소경   ㄷ. 9서당   ㄹ. 정당성

(1) 통일 후 신라가 편성한 중앙군이다. (   )

(2) 발해 중앙 정치 제도 3성의 중심 기구이다. (   )

(3) 신문왕이 유학적 소양을 지닌 인재를 양성하기 위해 세운 교육 기관이다. (   )

(4) 신라에서 수도 금성이 동남쪽에 치우쳐 있는 것을 보완하기 위해 설치한 행정 구역이다. (   )

2 ㉠~㉢에 들어갈 알맞은 말을 쓰시오.

> 통일 이후 신라의 중앙 정치는 왕명을 수행하는 (㉠)를 중심으로 운영되었다. 그 결과 그 장관인 (㉡)의 권한이 강화되었고, 귀족 회의인 (㉢)의 기능은 축소되었다.

3 다음 왕과 그 왕의 업적을 옳게 연결하시오.

(1) 무왕 •　　　　　　• ㉠ 상경 천도
(2) 문왕 •　　　　　　• ㉡ 정전 지급
(3) 문무왕 •　　　　　• ㉢ 삼국 통일 완성
(4) 성덕왕 •　　　　　• ㉣ 김흠돌의 난 진압
(5) 신문왕 •　　　　　• ㉤ 당의 산둥 지방 공격

4 다음 괄호 안의 내용 중 알맞은 말에 ○표를 하시오.

(1) 무열왕은 (성골, 진골) 출신으로는 최초로 왕위에 올랐다.

(2) 신문왕은 진골 귀족의 경제 기반이었던 (녹읍, 정전)을 폐지하였다.

(3) (무왕, 문무왕)은 발해가 당과 대등하다는 의식에서 독자적인 연호를 사용하였다.

5 다음 설명이 맞으면 ○표, 틀리면 ✕표를 하시오.

(1) 신라 말에 정부의 조세 독촉을 계기로 농민 봉기가 전국에서 일어났다. (   )

(2) 신라 말에는 산과 하천의 형세가 길흉화복에 영향을 준다는 선종이 유행하였다. (   )

(3) 지방에서 호족이 성장하여 스스로 성주와 장군을 자처하며 지방의 군사·행정을 장악하였다. (   )

내공1 통일 후 신라의 왕권 강화와 통치 제도의 정비

1 (가)에 들어갈 왕으로 옳은 것은?

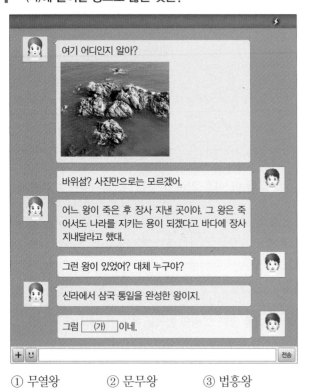

여기 어디인지 알아?

바위섬? 사진만으로는 모르겠어.

어느 왕이 죽은 후 장사 지낸 곳이야. 그 왕은 죽어서도 나라를 지키는 용이 되겠다고 바다에 장사 지내달라고 했대.

그런 왕이 있었어? 대체 누구야?

신라에서 삼국 통일을 완성한 왕이지.

그럼 (가) 이네.

① 무열왕   ② 문무왕   ③ 법흥왕
④ 지증왕   ⑤ 진흥왕

2 다음 정책을 실시한 공통적인 목적으로 옳은 것은?

> • 중앙 정치는 집사부를 중심으로 운영하였다.
> • 전국을 9주로 나누고 주요 지방에 5소경을 두었다.
> • 중앙군으로 9서당, 지방군으로 10정을 설치하였다.

① 삼국 통일을 이루고자 하였다.
② 민족의 융합을 꾀하고자 하였다.
③ 강력한 왕권을 확립하고자 하였다.
④ 국가 재정을 튼튼히 하고자 하였다.
⑤ 지방 세력의 성장을 막으려고 하였다.

3 (가)에 들어갈 용어를 쓰시오.

자네, 신문왕이 (가) 을/를 폐지한다는 소식을 들었나?

들었네. 귀족들의 경제력을 약화시키려고 폐지한대.

그럼 이제 우리를 마음대로 부리지 못하게 되겠지?

내공2 발해의 발전과 통치 제도 정비

중요 4 다음 중앙 정치 제도가 운영된 국가에 대한 설명으로 옳지 **않은** 것은?

① 피지배층 다수는 고구려인이었다.
② 고구려 계승 의식이 뚜렷한 국가였다.
③ 옛 고구려 장수 출신인 대조영이 건국하였다.
④ 선왕 때 옛 고구려 영토의 대부분을 차지하였다.
⑤ 당과 친선 관계를 맺고 당의 문물을 적극 수용하였다.

5 밑줄 친 '전성기'에 있었던 사실로 옳은 것은?

> 발해는 전성기를 이루었고 이후 중국에서는 발해를 바다 동쪽의 융성한 나라라는 뜻에서 '해동성국'이라고 불렀다.

① 인안이라는 연호를 사용하였다.
② 요동 지방과 연해주를 확보하였다.
③ 수도를 중경에서 상경으로 옮겼다.
④ 발해 유민의 일부가 고려로 망명하였다.
⑤ 장문휴가 당의 산둥 지방을 공격하였다.

출제율 ●●●●● 시험에 꼭 나오는 출제 가능성이 높은 예상
문제로, 내신 100점을 받기 위한 필수 문항들

내공 3 신라의 동요와 후삼국의 성립

중요 6 다음 설명에 해당하는 시기에 일어난 사건으로 옳지 않은 것은?

> 8세기 후반에 어린 나이에 즉위한 혜공왕이 진골 귀족들의 반란으로 피살되어 무열왕계 왕위 세습이 끊어졌다. 이후 10세기 초 신라가 멸망하기까지 약 150년 동안 20명의 왕이 바뀌는 혼란이 이어졌다.

① 궁예가 후고구려를 세웠다.
② 원종과 애노가 농민 봉기를 일으켰다.
③ 김흠돌이 반란을 꾀하다가 처형되었다.
④ 최치원이 진성 여왕에게 개혁안을 제시하였다.
⑤ 김헌창이 왕위 계승에 불만을 품고 난을 일으켰다.

7 (가)에 들어갈 인물로 옳은 것은?

> (가) 은/는 청해진을 설치해 군사력을 키우고, 당과 일본을 잇는 중계 무역을 통해 부를 축적하였다. 그러나 왕위 계승 분쟁에 개입하였다가 결국 암살되었다.

① 견훤   ② 김헌창   ③ 장문휴
④ 장보고   ⑤ 최치원

8 다음 사건들이 일어난 배경에 대한 설명으로 옳은 것을 〈보기〉에서 고른 것은?

> • 진성 여왕 3년(889) 주와 군에서 공물과 부세를 바치지 않아 나라의 창고가 텅 비고 …… 왕이 사자를 보내 독촉하니, …… 도적들이 벌떼처럼 일어났다.
> • 진성 여왕 10년(896) 붉은 바지를 입은 도적이 경주 서남쪽에서 일어나 주와 현을 공격하고 모량리까지 이르러 민가를 약탈해 갔다.   – 「삼국사기」

> • 보기 •
> ㄱ. 6두품이 왕의 정치적 조언자로 활약하였다.
> ㄴ. 농민이 토지를 잃고 유민이나 도적이 되었다.
> ㄷ. 왕위 쟁탈전이 이어지면서 귀족의 수탈이 심해졌다.
> ㄹ. 후백제와 후고구려가 건국되어 후삼국이 성립되었다.

① ㄱ, ㄴ   ② ㄱ, ㄷ   ③ ㄴ, ㄷ
④ ㄴ, ㄹ   ⑤ ㄷ, ㄹ

9 신라가 지도에 표시된 지방 행정 제도를 마련한 이유와 그 내용을 서술하시오.

_____

_____

_____

10 다음은 발해의 왕과 연호를 나타낸 표이다. 발해의 왕들이 이러한 연호를 사용한 이유를 서술하시오.

왕	무왕	문왕	성왕	선왕
연호	인안	대흥, 보력	중흥	건흥

_____

_____

_____

11 다음을 읽고 물음에 답하시오.

> 신라 말 중앙의 통제력이 약화된 틈을 타 지방에서 (가) 이/가 성장하였다. (가) 의 대부분은 촌주 출신이었고, 중앙에서 지방으로 내려온 귀족, 군진 세력, 해상 세력 출신도 있었다.

(1) (가)에 들어갈 세력의 명칭을 쓰시오.

_____

(2) (1)의 활동을 서술하시오.

_____

_____

03 남북국의 문화와 대외 관계

내공 1 통일 신라의 사상과 예술의 발달

1 유학의 발달

(1) 유학 교육의 확대: 유학을 정치 이념으로 채택

① 국학: 신문왕 때 설치, 유학 교육 기관

② 독서삼품과: 원성왕 때 시행, 국학 학생의 유교 경전 이해 수준을 평가하여 관리로 등용

(2) 대표적 유학자 ┌ 한자의 음과 뜻을 빌려 우리말을 적는 표기법이야.

성명	신분	활동
강수	6두품	당에 보내는 외교 문서 작성 → 삼국 통일에 기여
설총	6두품	이두를 정리해 유교 경전을 우리말로 풀이
최치원	6두품	당의 빈공과에 합격, 뛰어난 문장으로 유명
김대문	진골	『화랑세기』, 『고승전』 저술

└ 당에서 외국인을 대상으로 실시한 과거야. 신라 말에는 당에 유학하여 빈공과에 급제한 신라인이 늘어났어.

2 불교의 발달

(1) 불교 사상의 발달: 불교의 대중화, 새로운 불교 교리 소개, 신라 말에는 선종이 지방을 중심으로 유행

(2) 대표적 승려 ┌ 모든 것이 오직 한마음에서 나온다는 사상이야. ┌ 불교 종파 간의 조화, 사상적 대립의 조화를 강조하였어.

① 원효: 일심 사상·화쟁 사상을 주장, 불교의 대중화에 기여

② 의상: 당에서 화엄학 공부, 화엄 사상을 주장, 신라 화엄종 개창, 부석사 등 건립

③ 혜초: 인도, 중앙아시아에 다녀온 후 『왕오천축국전』 저술

나무아미타불만 외우면 극락정토에 갈 수 있다.

하나가 전체이고, 전체가 하나다.

모든 존재가 상호 의존적인 관계에 있으면서 서로 조화를 이루고 있다는 화엄 사상을 주장하였다.

▲ 원효　　　▲ 의상

┌ 원효는 백성에게 '나무아미타불'만 열심히 외우면 극락정토에 갈 수 있다는 아미타 신앙을 전파하여 불교의 대중화에 힘썼어.

3 불교 예술의 발달

(1) 사원

① 불국사: 건물과 탑을 균형 있게 배치하여 불교의 이상 세계를 표현

② 석굴암: 인공 석굴 사원, 중앙의 석굴암 본존상을 중심으로 벽면에 새긴 보살 등 여러 조각이 조화를 이룸

└ 자연적 습기 방지 구조를 갖추고 있어 천 년 동안 보존되었어. 석굴암 내부와 석굴암 본존상에 정밀한 수학 지식이 이용되었어.

(2) 탑

① 석탑: 3층 석탑 유행(경주 감은사지 동서 3층 석탑, 경주 불국사 3층 석탑 등), 경주 불국사 다보탑 등 ┌ 화순 쌍봉사 철감 선사 탑

② 승탑과 탑비: 승려의 사리나 유골을 안치한 승탑, 승려의 일대기를 적은 탑비가 신라 말에 선종이 퍼지면서 유행 └ 가장 오래되었어.

(3) 범종: 상원사 동종, 성덕 대왕 신종 ┌ 가장 커.

(4) 인쇄술: 무구정광대다라니경(현존하는 세계에서 가장 오래된 목판 인쇄물, 경주 불국사 3층 석탑에서 발견)

▲ 석굴암 본존상

▲ 경주 불국사 3층 석탑

▲ 화순 쌍봉사 철감 선사 탑
└ 이중 기단 위에 3층으로 쌓은 석탑이 유행하였어.

내공 2 발해의 다양한 문화 융합

1 유학과 불교문화의 발달

(1) 유학의 발달: 유학을 통치 이념에 반영

① 주자감 설치: 유학 교육을 실시해 인재 양성

② 유학자의 활약: 빈공과에 합격, 일본에 사절단으로 파견

(2) 불교문화의 발달

① 불교의 유행: 지배층을 중심으로 유행, 문왕은 스스로를 불교적 성왕이라 칭하며 불교를 적극 후원 ┌ 고구려의 영향을 받은 것으로 알려져 있어.

② 불교문화의 발달: 상경성과 중경성 일대의 절터 유적에서 불상(이불병좌상), 거대한 석등 출토 → 발해의 융성한 불교의 모습 확인

└ 높이가 6m가 넘는데, 몸체에 새겨진 연꽃무늬는 고구려의 영향을 받은 것이야.

▲ 발해 석등

2 융합적인 발해 문화

(1) 발해 문화의 특징: 고구려 문화 기반 + 당의 문화 수용 + 말갈의 토착 문화 흡수 → 국제적·독자적인 문화 형성

(2) 상경성: 당의 장안성 모방 + 고구려 문화의 전통을 이어받은 온돌 시설, 불상, 기와 등 발견 └ 외성, 내성, 주작대로를 갖추었어.

(3) 고분

① 정혜 공주 묘: 고구려 고분 양식을 계승한 굴식 돌방무덤과 모줄임천장 구조

② 정효 공주 묘: 당의 영향을 받은 벽돌무덤, 천장은 고구려 양식 계승

(4) 말갈식 토기와 흙무덤: 말갈의 문화 전통 계승

(5) 발해 삼채: 당삼채의 기법을 수용해 독자적으로 발전시킴

▲ 고구려 문화를 계승한 발해의 문화 | 토기의 형태, 치미와 막새 등 기와 모양, 온돌 시설 등은 발해가 고구려 문화의 전통을 계승하였다는 사실을 잘 보여 주고 있다.

내공 3 남북국의 대외 교류

1 통일 신라의 대외 교류

(1) 당과의 교류

① 배경: 나당 전쟁으로 악화된 관계 회복

② 내용: 사신·유학생·승려의 당 문화 수용, 상인의 교역 등 ┌ 금은 세공품을 수출하고, 사치품을 수입하였어.

③ 영향: 산둥반도를 비롯한 당의 동쪽 해안 일대에 <u>신라방,</u> <u>신라소, 신라원, 신라관</u> 출현 ┌ 신라방은 신라인 거주지, 신라 소는 감독 관청, 신라원은 절, 신라관은 숙박 시설이었어.

(2) 일본과의 교류

① 내용: 금속 제품(유기)과 모직물, 약재 등을 수출, 견직물 의 원료 수입, 당과 일본 사이에서 향료 등을 중계 무역

② 영향: 신라의 불교 사상이 일본에 전파

(3) 무역항의 번성: 당항성(당은포)과 울산항이 번성, 울산항 에는 <u>아라비아 상인</u>도 왕래 └ 이 결과 신라의 이름이 이슬람 세계에 알려졌어.

◀▼ **원성왕릉 무인석과 사자·공작무늬 돌 | 원성왕릉 무인석** 은 서역인의 모습을 하고 있고, 사자무늬나 공작무늬는 사산 왕조 페르시아에서 유행하였다. ┌ 머리에 쓴 터번과 곱슬머리, 오 똑한 콧날 등이 나타나 있어.

(4) 장보고의 활약: 청해진을 설치하여 해적 소탕, 당·신라· 일본을 연결하는 해상 무역 장악

2 발해의 대외 교류

(1) 당과의 교류

① 배경: 문왕 때 친선 관계 맺음

② 내용: 승려·유학생의 당 문물 수용, <u>상인의 교역</u> 등 ┌ 말, 모피, 철, 인삼 등을 수출하고, 비단, 서적 등을 수입하였어.

③ 영향: 당이 산둥반도에 <u>발해관</u> 설치 └ 발해인 숙소로 이용하도록 하였어.

(2) 일본과의 교류

① 배경: 당과 신라를 견제하기 위해 활발하게 교류

② 내용: 모피, 인삼 등을 수출하고 비단, 귀금속 등을 수입

(3) 신라와의 교류

① 배경: 초기에는 대립 → 당과의 관계가 안정된 후 사신 교환

② 내용: 동경에서 신라에 이르는 <u>신라도</u>를 설치해서 교역

▲ **신라와 발해의 대외 교류 |** 신라는 당항성, 울산항 등을 통해서, 발해는 신라·당·일본·거란과 연결된 교통로인 신라도·조공도·영주도·일본도·거란도 를 통해서 주변 나라와 교류하였다.

1 다음 설명이 맞으면 ○표, 틀리면 ✕표를 하시오.

(1) 통일 후 신라에서는 불교가 대중화되었다. (　　　)

(2) 신라 말에는 선종이 지방을 중심으로 유행하였다. (　　　)

(3) 신라는 유교 경전의 이해 수준을 평가하여 관리로 등용하기 위해 빈공과를 실시하였다. (　　　)

2 다음 인물과 활동을 옳게 연결하시오.

(1) 강수 •　　　　　•㉠ 이두 정리

(2) 설총 •　　　　　•㉡ 화랑세기 저술

(3) 원효 •　　　　　•㉢ 화쟁 사상 주장

(4) 혜초 •　　　　　•㉣ 왕오천축국전 저술

(5) 김대문 •　　　　•㉤ 외교 문서 작성에 능통

3 신라 말에는 선종이 유행하면서 승려의 사리나 유골을 담 은 (　　　　　)이 세워지기 시작하였다.

4 다음 괄호 안의 내용 중 알맞은 말에 ○표를 하시오.

(1) 신문왕은 (국학, 주자감)을 설치하여 유학을 교육하 였다.

(2) 의상은 (화엄, 화쟁) 사상을 주장하여 신라 사회를 통합하는 데 기여하였다.

(3) 발해는 신라를 견제하기 위하여 (당, 일본)과 일찍 부터 친선 관계를 유지하였다.

(4) 당과 신라의 교류가 활발해지면서 당의 산둥반도와 동쪽 해안 일대에 (신라방, 청해진)이 출현하였다.

5 다음 발해 문화가 고구려의 영향을 받았으면 '고', 당의 영 향을 받았으면 '당'이라고 쓰시오.

(1) 발해 성터에서 온돌이 발견되었다. (　　　)

(2) 정효 공주 묘는 벽돌무덤으로 만들었다. (　　　)

(3) 정혜 공주 묘는 모줄임천장 구조를 하고 있다. (　　　)

6 당은 발해 사신을 접대하기 위해 산둥반도에 발해인 숙소 로 (　　　　　)을 설치하였다.

내공 1   통일 신라의 사상과 예술의 발달

1 다음 설명에 해당하는 사상으로 옳은 것은?

> 의상은 "하나가 전체요, 전체가 하나다."라고 주장하였다. 즉, 모든 존재가 상호 의존적인 관계에 있으면서 서로 조화를 이루고 있다는 것이다.

① 선종   ② 신선 사상   ③ 화엄 사상
④ 화쟁 사상   ⑤ 풍수지리설

주관식

중요 2 다음 주장을 펼친 인물을 쓰시오.

> 누구나 나무아미타불을 열심히 외우면 극락정토에 갈 수 있습니다.

3 (가)에 들어갈 내용으로 가장 적절한 것은?

> [역사 다큐멘터리 기획서]
>
> **통일 신라, 불교문화를 꽃피우다**
>
> • 주제
> 1부: 불교의 이상 세계를 표현한 불국사
> 2부: 신라의 뛰어난 건축술을 보여 주는 석굴암
> 3부: _____(가)_____
> • 방영 일시 : 2020○년 ○월 ○일~○월 ○일 10시

① 불에 타 남아 있지 않는 황룡사 9층 목탑
② 우리나라에서 가장 큰 범종인 성덕 대왕 신종
③ 우리나라에서 가장 크고 오래된 익산 미륵사지 석탑
④ 북위의 불상 양식을 닮은 금동 연가 7년명 여래 입상
⑤ 돌을 벽돌 모양으로 다듬어 쌓은 경주 분황사 모전 석탑

내공 2   발해의 다양한 문화 융합

4 다음 고분에 대한 설명으로 옳은 것은?

▲ 정효 공주 묘의 내부(중국 지린성)

① 돌무지덧널무덤이다.
② 벽화는 그려져 있지 않다.
③ 말갈 문화의 전통을 보여 준다.
④ 당의 영향을 받아 벽돌무덤으로 만들어졌다.
⑤ 고구려 초기에 많이 조성된 고분 양식으로 지어졌다.

5 (가)에 들어갈 문화유산 사진으로 옳은 것은?

> **문화유산 카드**
>
> (가)
>
> • 발해 상경성의 절터에 남아 있었다.
> • 높이가 약 6.3m 정도이다.
> • 몸체에 새겨진 연꽃무늬는 고구려의 영향을 받았다.

①    ②    ③

④    ⑤

내공 3 남북국의 대외 교류

6 다음 유물들을 통해 알 수 있는 사실로 옳은 것은?

① 발해는 고구려를 계승하였다.
② 통일 신라는 서역과 교류하였다.
③ 통일 신라는 당의 문화를 받아들였다.
④ 발해는 신라도를 통해 신라와 교류하였다.
⑤ 삼국은 일본 고대 문화 형성에 영향을 끼쳤다.

중요 7 다음 사실이 있었던 시기에 신라가 전개한 대외 교류에 대한 설명으로 옳은 것은?

> 황해와 남해안 일대에서 해적의 약탈이 심해지자, 장보고는 완도에 청해진을 설치하여 해적을 소탕하였다.

① 문왕이 당과 친선 관계를 맺었다.
② 당의 산둥반도에 신라원이 세워졌다.
③ 중국 전진에서 들어온 불교를 수용하였다.
④ 고구려를 협공하기 위해 당에 동맹을 제안하였다.
⑤ 중국 남조와 교류하면서 벽돌무덤 양식을 들여왔다.

8 밑줄 친 '이 나라'의 대외 교류에 대한 설명으로 옳지 않은 것은?

> 이 나라는 고구려 문화를 기반으로 당의 문화를 받아들이고 말갈의 토착 문화를 흡수하였다.

① 무왕은 당의 산둥 지방을 공격하였다.
② 당에 말, 모피, 철, 인삼 등을 수출하였다.
③ 신라와는 대립하여 사신을 교환하지 않았다.
④ 당을 견제하기 위해 일본과 친선 관계를 맺었다.
⑤ 산둥반도의 발해관을 발해인 숙소로 이용하였다.

9 다음 인터넷 검색 결과에 해당하는 인물을 쓰고, (가)에 들어갈 그 인물의 활동을 서술하시오.

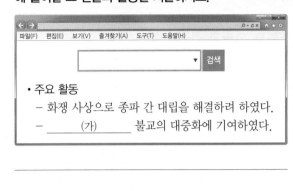

- 주요 활동
  - 화쟁 사상으로 종파 간 대립을 해결하려 하였다.
  - _____(가)_____ 불교의 대중화에 기여하였다.

_____
_____
_____

10 갑, 을의 주장을 뒷받침할 수 있는 근거를 각각 한 가지씩 서술하시오.

발해의 정혜 공주 묘는 고구려 고분 양식을 계승하였어.

맞아. 그리고 정효 공주 묘는 당의 영향을 받았어.

갑

을

_____
_____
_____

11 지도를 통해 알 수 있는 발해의 대외 교류 내용을 서술하시오.

_____
_____
_____

01 고려의 건국과 정치 변화

내공 1 고려의 건국과 체제 정비

1 고려의 건국과 후삼국 통일
(1) 고려의 건국: 송악(개성)의 호족 왕건이 궁예의 신하로 태봉의 최고 관직(시중)에 오름 → 신하들이 민심을 잃은 궁예를 내쫓고 왕건을 국왕으로 세움 → 국호를 고려로 고침(918), 송악(개성)으로 천도(919)
　　└ 왕건은 수군을 이끌고 후백제의 금성(나주)을 점령하는 공을 세웠어.

(2) 후삼국 통일
① 과정: 신라와 우호 관계 유지, 후백제와 대립 → 공산(대구) 전투에서 후백제군에 패배 → 고창(안동) 전투에서 후백제군에 승리 → 견훤이 고려에 투항 → 신라 경순왕의 항복 → 후백제군 격파, 후백제 멸망, 후삼국 통일(936)
　　└ 견훤이 금성을 습격하자, 왕건이 신라를 지원하러 갔다가 공산에서 후백제군의 기습 공격을 받았어.

▲ 고려의 후삼국 통일
　　└ 견훤이 큰아들 신검에게 왕위를 빼앗겼어.

② 의의: 민족의 재통합, 새로운 민족 문화 발전의 토대 마련, 정치 참여 세력의 확대(6두품 및 지방 호족 출신도 참여)

2 태조(왕건)의 정책
(1) 민생 안정 정책: 세금 감면, 가난한 백성 구제 기구 설치
(2) 호족 포섭·견제 정책: 유력 호족과 혼인 관계를 맺음, 관직·토지·왕씨 성을 내려 줌, 사심관 제도와 기인 제도 실시
　　└ 호족이나 공신을 사심관으로 삼아 그들의 출신 지역을 다스리게 한 제도야. 지방 통치를 보완하고 호족을 견제하기 위한 제도였어.
(3) 민족 통합 정책: 옛 신라와 후백제 세력을 지배층으로 수용, 발해 유민도 포용
　　└ 호족의 자제를 수도에 머물게 하여 자문을 구하면서 볼모로 삼아 호족을 견제한 제도야.
(4) 북진 정책: 고구려의 수도인 서경(평양) 중시, 거란 배척, 청천강~영흥만에 이르는 지역까지 영토 확장
(5) 훈요 10조: 불교 장려, 유교·도교·풍수지리설 존중, 중국 문화의 주체적 수용·북진 정책·민생 안정 정책 강조
　　└ 태조가 후대 왕에게 남긴 교훈 10가지야.

3 광종의 왕권 안정과 성종의 체제 정비
(1) 광종의 왕권 안정
① 개혁 정책 추진

노비안검법 실시	호족이 불법으로 차지한 노비를 양인으로 해방 → 호족의 경제력과 군사력 약화, 양인 증가
과거제 시행	유교적 지식과 학문 능력으로 관리 선발 → 왕권을 뒷받침할 새로운 인재 등용
공복 색깔 제정	관리의 위계질서 확립

　　└ 중국 후주에서 귀화한 쌍기의 건의로 시행하였어.
② 공신과 호족 숙청: 개혁 정책 반대 세력 제거 → 왕권 강화
③ 칭제건원: 스스로 황제라고 칭하고 '광덕', '준풍' 등의 독자적인 연호 사용 → 국가의 위상을 높임
(2) 성종의 체제 정비: 최승로의 시무 28조 수용 → 유교를 통치 이념으로 채택, 중앙 관제 정비, 12목에 지방관 파견
　　└ 신라 6두품 출신의 유학자로 유교 정치 실시를 건의하였어.

　　┌ 이에 따라 성종은 불교와 토착 신앙 행사를 억제하여 재정 낭비도 줄였어.

> 제7조 임금께서 백성의 집집마다 가서 날마다 돌볼 수는 없습니다. 수령을 파견하여 백성을 돌보게 하십시오.
> 제13조 연등회와 팔관회를 줄여 백성이 힘을 펴게 하십시오.
> 제20조 불교를 믿는 것은 자신을 수양하는 근본이며, 유교를 행하는 것은 나라를 다스리는 근원입니다. 자신을 수양하는 것은 내세에 복을 구하는 일이며, 나라를 다스리는 것은 오늘의 급한 일입니다. - 「고려사」

▲ 최승로의 시무 28조

내공 2 고려의 통치 제도

1 중앙 정치 제도
(1) 2성 6부제
　　└ 고려의 중앙 정치는 당의 3성 6부를 고려의 실정에 맞게 고친 2성 6부제로 운영되었어.
① 중서문하성: 최고 관청, 국가 정책 논의 및 결정, 장관인 문하시중이 국정 총괄
② 상서성: 아래에 6부를 두고 정책 집행
(2) 중추원: 군사 기밀 담당, 왕의 명령 전달
(3) 어사대: 관리의 비리 감찰
　　└ 중서문하성의 일부 관리와 함께 대간으로 불렸어. 정치의 잘잘못을 가리고 관리의 비리를 감찰하였어.
(4) 삼사: 재정의 출납과 회계 담당
(5) 회의 기구: 중서문하성과 중추원의 고위 관료가 회의
① 도병마사: 국방과 군사 문제 논의
　　└ 고려만의 독자적인 기구야.
② 식목도감: 제도와 시행 규칙 제정

2 지방 행정 제도
　　└ 성종 때 주요 지역에 12목을 설치하고 지방관을 파견한 이후 5도, 양계, 경기로 정비되어 갔어.
(1) 5도: 일반 행정 구역, 안찰사 파견
(2) 양계: 군사 행정 구역, 병마사 파견
(3) 경기: 수도 개경과 주변 지역, 개경에 물적 자원 공급
(4) 3경: 개경, 서경, 동경(뒤에 남경)
(5) 군·현: 5도와 양계 아래에 설치, 지방관이 파견된 주현과 파견되지 않은 속현으로 구분
　　└ 주현의 지방관이 주변의 속현까지 관할하였어. 행정 실무는 향리가 맡았어.
(6) 향·부곡·소: 특수 행정 구역, 군·현의 주민에 비해 더 많은 세금을 부담하고 차별 대우를 받음
　　└ 향·부곡의 주민은 농업에, 소의 주민은 수공업에 종사하였어.

▲ 고려의 중앙 정치 기구　　▲ 고려의 지방 행정 조직

3 군사 제도

(1) **중앙군**: 2군(궁궐과 왕실 호위), 6위(개경과 국경 방어)
(2) **지방군**: 주현군(5도의 군사 방어와 치안 유지), 주진군(양계에 주둔하며 국경 경비)

4 교육 제도와 관리 등용 제도

(1) **교육 제도**: 개경과 서경에 학교 설치(태조), 개경에 국자감 설치(성종), 중요한 지방에 향교 설치

└ 유교 사상과 기술 학문을 가르치는 최고 국립 교육 기관이야.

(2) **관리 등용 제도**
① **과거**: 시험으로 인재 선발

└ 제술과는 글 짓는 능력을, 명경과는 유교 경전에 대한 이해 능력을 시험하였어.

종류	• 문과(제술과, 명경과): 문관 선발 • 잡과: 법률, 회계, 의학, 지리 등 기술관 선발 • 승과(교종선, 선종선): 승계 부여
응시 자격	원칙적으로 양인 이상이면 응시 가능(실제로는 문과는 귀족이나 향리 자제가 응시)

└ 무과는 거의 시행하지 않았고, 무예가 뛰어난 사람을 무관으로 임명하였어.
② **음서**: 왕족이나 공신의 후손, 고위 관리의 자손을 시험 없이 관리로 임명 → 고위 관리는 음서를 이용해 지위 세습
③ **천거**: 학식과 덕행이 뛰어난 인재를 추천받아 특별히 임명

└ 관직 진출에는 과거가 음서보다 중요하였어. 음서로 관리가 된 후에도 과거를 보는 경우가 많았지.

◀ 고려의 관리 등용 제도

5 전시과 제도

└ 수조권 외에도 관직 수행 대가로 쌀, 베 등의 현물을 녹봉으로 받았어.

(1) **내용**: 관리를 18등급으로 나누어 곡식을 거둘 수 있는 전지(농토)와 땔감을 구할 수 있는 시지(임야)의 수조권 지급
(2) **조건**: 사망하면 국가에 토지 반납(5품 이상 관리에게는 세습이 가능한 공음전 지급)

└ 수조권이 설정된 전지와 시지야.

내공 3 정치 질서의 동요와 무신 정권의 성립

1 이자겸의 난

(1) **배경**: 지방 호족과 6두품 출신 유학자가 지배층 이룸 → 여러 세대 동안 고위 관리를 배출해 문벌 형성(과거와 음서로 주요 관직 독점, 왕실·문벌과 혼인해 세력 확대)
(2) **전개**: 경원 이씨 이자겸이 권력 행사 → 인종이 이자겸 제거 시도 → 이자겸의 난(1126) → 인종이 이자겸 제거
(3) **결과**: 왕실의 권위 하락

└ 이 과정에서 궁궐이 불탔고, 이자겸 세력이 금의 사대 요구를 받아들여 민심이 동요하였어.

▲ 왕실과 경원 이씨의 혼인 관계

---

2 묘청의 서경 천도 운동

└ 풍수지리설을 근거로 서경 천도를 주장하였어.

(1) **계기**: 인종이 서경 세력(정지상, 묘청)을 등용해 개혁 추진
(2) **전개**: 서경 세력이 칭제건원, 서경 천도, 금 정벌 건의 → 개경 세력(김부식)이 서경 천도 반대 → 묘청이 서경에서 반란(1135) → 김부식의 관군이 진압

└ 나라 이름을 '대위', 연호를 '천개'라고 하였어.

> ┌ 크게 기운이 꽃피우는 형세
> 서경 지역은 풍수지리설에 의하면 대화세이니 만약 이곳에 궁궐을 세우고 수도를 옮기면 국가의 혼란을 막을 수 있습니다. 또한 금이 조공을 바치고 스스로 항복할 것이며 주변의 여러 나라가 모두 고개를 숙일 것입니다.
> – 「고려사」

▲ 묘청의 서경 천도 주장

3 무신 정변의 발생과 최씨 정권의 성립

└ 왕권을 강화하려다 문벌의 반발에 부딪힌 후 의종은 연회와 놀이에 빠졌어.

(1) **배경**: 이자겸의 난과 묘청의 서경 천도 운동으로 정치 질서 동요, 왕권 약화, 문벌의 권력 독점과 부패 지속 → 무신 차별 심화, 하급 군인의 불만 고조, 의종의 실정
(2) **무신 정변의 발생**: 정중부·이의방 등이 정변을 일으켜 문신 제거, 의종 폐위(1170)

└ 토지를 제대로 지급받지 못하고, 각종 공사에 동원되었어.

(3) **무신 정권 초기**: 무신들이 중방을 통해 권력 행사, 권력 다툼으로 집권자 자주 교체

└ 본래 무신들의 최고 회의 기구였어.

(4) **최씨 정권의 성립**: 4대 60여 년간 정권 유지
① **최충헌**: 교정도감 설치(국가의 중요한 정책을 결정하고 집행), 도방 확대(호위 강화)
② **최우**: 정방(인사 행정 담당)·서방(문인들에게 정책 자문)·야별초(치안 유지) 조직

└ 백성의 토지를 강제로 빼앗아 농장을 넓히고 세금을 과도하게 거두기도 하였어.

▲ 무신 집권자와 지배 기구

4 농민과 천민의 봉기

(1) **배경**: 무신들의 권력 다툼으로 정치 혼란, 무신들의 수탈 심화, 신분 질서의 동요, 신분 상승에 대한 기대감 고조

└ 천민 출신 무신 집권자가 나오면서 하층민도 신분 상승을 꿈꿨어.

(2) **농민과 천민의 봉기**
① **수탈에 대한 저항**: 망이·망소이(공주 명학소), 김사미(운문), 효심(초전)
② **천민의 봉기**: 전주 관노, 사노비 만적(신분 해방 추구)

└ 관청에 소속된 공노비야.
└ 개경에서 봉기를 계획했으나 사전에 발각되었어.

└ 경주, 서경, 담양 등지에서 고려 왕조를 부정하고 신라·고구려·백제 부흥을 내세운 봉기도 일어났어.

◀ 무신 집권기 농민과 천민의 봉기

개념 확인하기

정답과 해설 11쪽

1 다음 왕의 업적만을 〈보기〉에서 있는 대로 골라 기호를 쓰시오.

> • 보기 •
> ㄱ. 광덕, 준풍 등의 연호를 사용하였다.
> ㄴ. 쌍기의 건의로 과거제를 처음으로 실시하였다.
> ㄷ. 지방에 12목을 설치하고 지방관을 파견하였다.
> ㄹ. 호족에게 관직과 토지, 왕씨 성을 내려 주었다.
> ㅁ. 호족이나 공신을 사심관으로 임명해 출신 지역을 다스리게 하였다.

(1) 광종   (   )
(2) 성종   (   )
(3) 태조   (   )

2 다음 고려의 중앙 정치 기구와 역할을 옳게 연결하시오.

(1) 삼사   •   • ㉠ 왕의 명령 전달
(2) 어사대   •   • ㉡ 관리의 비리 감찰
(3) 중추원   •   • ㉢ 국방과 군사 문제 논의
(4) 도병마사   •   • ㉣ 재정 출납과 회계 담당
(5) 중서문하성 •   • ㉤ 국가 정책 논의 및 결정

3 다음 괄호 안의 내용 중 알맞은 말에 ○표를 하시오.

(1) (5도, 양계)에는 안찰사를 파견하였다.
(2) 지방관이 파견된 현을 (속현, 주현)이라고 하였다.
(3) 중앙군 중 (2군, 6위)은/는 개경과 국경을 방어하였다.
(4) 지방군 중 (주진군, 주현군)은 5도의 군사 방어와 치안을 담당하였다.

4 고려의 관리 등용 제도는 시험으로 인재를 선발하는 과거와 왕족이나 공신의 후손, 고위 관리의 자손을 시험 없이 관리로 등용하는 ( )가 대표적이었다.

5 다음 설명이 맞으면 ○표, 틀리면 ✕표를 하시오.

(1) 이자겸은 대표적 문벌인 경원 이씨 가문 사람이었다.
                                        (   )
(2) 김부식을 비롯한 개경 세력은 서경 천도에 크게 반대하였다.
                                        (   )
(3) 최우는 자기 집에 중방을 설치하여 인사 행정을 담당하게 하였다.   (   )
(4) 무신 정변 후 집권자 중에는 천민 출신이 있어 하층민이 신분 상승에 대한 기대를 갖게 되었다.   (   )

내공 쌓는 족집게 문제

내공 1   고려의 건국과 체제 정비

1 교사의 질문에 대한 학생의 답변으로 적절한 것을 〈보기〉에서 고른 것은?

> • 보기 •
> ㄱ. 우리 민족 최초의 통일이었어요.
> ㄴ. 지방 세력이 정치에 참여하게 되었어요.
> ㄷ. 외세의 도움을 받아 통일을 이룩하였어요.
> ㄹ. 발해 유민까지 받아들여 민족 재통합을 이루었어요.

① ㄱ, ㄴ   ② ㄱ, ㄷ   ③ ㄴ, ㄷ
④ ㄴ, ㄹ   ⑤ ㄷ, ㄹ

중요 2 (가)에 들어갈 내용으로 가장 적절한 것은?

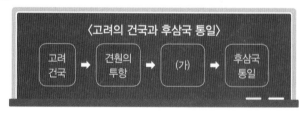

① 고창 전투   ② 공산 전투
③ 발해 멸망   ④ 송악 천도
⑤ 신라 항복

주관식

3 다음에서 설명하는 제도를 쓰시오.

> 호족의 자제를 수도에 머물게 하여 출신 지역의 일에 자문을 구하면서 동시에 이들을 볼모로 삼아 호족을 견제한 제도이다.

출제율 ●●●●● 시험에 꼭 나오는 출제 가능성이 높은 예상 문제로, 내신 100점을 받기 위한 필수 문항들

4 다음 사실들의 공통된 목적으로 옳은 것은?

○○○●●●

• 신하들의 추대로 왕위에 오른 왕건은 나라 이름을 고려라고 하였다.
• 태조는 고구려의 수도였던 서경(평양)을 중시하였다.

① 불교를 장려하고자 하였다.
② 호족을 견제하고자 하였다.
③ 고구려를 계승하고자 하였다.
④ 중국 문화를 수용하려고 하였다.
⑤ 백성의 생활을 안정시키려고 하였다.

5 다음 정책을 시행한 왕의 업적으로 옳은 것은?

○●●●●●

본래 노비가 아니었는데 노비가 된 사람들을 조사하여 양인으로 돌아가게 하라.

① 훈요 10조를 남겼다.
② 과거제를 실시하였다.
③ 지방관을 파견하였다.
④ 북진 정책을 추진하였다.
⑤ 사심관 제도를 실시하였다.

중요 6 다음 개혁안을 수용한 왕이 실시한 정책으로 옳은 것은?

●●●●●●

제7조 임금께서 백성의 집집마다 가서 날마다 돌볼 수는 없습니다. 수령을 파견하여 백성을 돌보게 하십시오.
제13조 연등회와 팔관회를 줄여 백성이 힘을 펴게 하십시오.

① 공복 색깔을 정해 관리의 위계질서를 세웠다.
② 발해 유민을 포용하여 민족의 통합을 이루었다.
③ 호족이나 공신을 출신 지역의 사심관으로 삼았다.
④ 인재를 관리로 등용하기 위해 과거제를 마련하였다.
⑤ 주요 지역에 12목을 설치하고 지방관을 파견하였다.

내공 2 고려의 통치 제도

7 (가)에 들어갈 내용으로 가장 적절한 것은?

○○●●●●

고려의 중앙 정치 기구

• 중서문하성: 국가의 정책을 논의하여 결정
• 상서성: 6부를 아래에 두고 정책을 집행
• 중추원: 군사 기밀 관리
• 어사대: _____(가)_____

① 왕의 명령 전달
② 국방과 군사 문제 논의
③ 제도와 시행 규칙 제정
④ 관리의 잘못된 행위 조사
⑤ 재정의 출납 및 회계 담당

중요 8 다음 중앙 정치 기구를 갖춘 국가의 지방 행정에 대한 설명으로 옳은 것은?

●●●●●●

① 전국을 9주로 나누었다.
② 지방에 22담로를 설치하였다.
③ 지방의 중심지에 5소경을 두었다.
④ 특수 행정 구역인 향·부곡·소가 있었다.
⑤ 상경을 비롯한 5경이 지방의 거점을 이루었다.

9 (가), (나)에 들어갈 내용을 옳게 연결한 것은?

○○○●●●

고려의 지방 행정 제도

• (가) : 일반 행정 구역, 안찰사 파견
• (나) : 군사 행정 구역, 병마사 파견
• 경기: 수도 개경과 주변 지역

	(가)	(나)		(가)	(나)
①	9주	5소경	②	5경	15부
③	5도	양계	④	2군	6위
⑤	9서당	10정			

중요 **10** 다음 도표로 제시된 관리 선발 제도에 대한 설명으로 옳지 <u>않은</u> 것은?

① 모든 관리를 시험으로 선발하였다.
② 제술과는 글 짓는 능력을 시험하였다.
③ 무관을 뽑는 무과는 거의 시행되지 않았다.
④ 잡과는 법률, 의학 등을 담당하는 기술관을 뽑았다.
⑤ 과거는 원칙적으로 양인 이상이면 응시할 수 있었다.

[11~12] 다음을 읽고 물음에 답하시오.

> 엎드려 생각건대 신(최종번)은 …… 진작 과거에 뜻을 두었으나 글 쓰는 재능이 없어 문서에도 익숙지 못한지라, 우연히 가문의 은덕을 입어 관리가 되었습니다. 그러나 유학으로 이름을 떨치지 못한다면 장차 무슨 면목으로 벼슬길에 나가겠습니까? – 이규보, 「동국이상국집」

주관식

11 밑줄 친 부분에 해당하는 고려의 관리 등용 제도를 쓰시오.

12 밑줄 친 부분에 해당하는 고려의 관리 등용 제도에 대한 설명으로 옳은 것을 〈보기〉에서 고른 것은?

• 보기 •
ㄱ. 시험을 통해 관리를 선발하였다.
ㄴ. 문관을 뽑는 제술과와 명경과를 중시하였다.
ㄷ. 고위 관리가 지위를 세습하는 데 이용하였다.
ㄹ. 이 제도로 관직에 나아가는 것을 명예로 여기지는 않았다.

① ㄱ, ㄴ   ② ㄱ, ㄷ   ③ ㄴ, ㄷ
④ ㄴ, ㄹ   ⑤ ㄷ, ㄹ

내공 **3** **정치 질서의 동요와 무신 정권의 성립**

중요 **13** (가)에 대한 설명으로 옳은 것을 〈보기〉에서 고른 것은?

경원 이씨 가문은 왕실과의 거듭된 혼인으로 세력을 키워 대표적인 [(가)](으)로 성장하였다.

• 보기 •
ㄱ. 중방을 통해 권력을 행사하였다.
ㄴ. 과거와 음서로 주요 관직을 독점하였다.
ㄷ. 여러 세대에 걸쳐 고위 관리를 배출하였다.
ㄹ. 무신 집권기에 새로운 지배 세력으로 성장하였다.

① ㄱ, ㄴ   ② ㄱ, ㄷ   ③ ㄴ, ㄷ
④ ㄴ, ㄹ   ⑤ ㄷ, ㄹ

14 다음 두 사건의 공통점으로 옳은 것은?

• 이자겸의 난   • 묘청의 서경 천도 운동

① 무신 집권기에 발생하였다.
② 무신에 대한 차별이 원인이었다.
③ 문벌이 권력을 잡는 계기가 되었다.
④ 정치 질서를 흔들고 왕권을 약화시켰다.
⑤ 지방에서 호족이 성장하는 계기가 되었다.

15 다음 사건들이 일어난 시기의 국내 정세로 옳은 것은?

• 경상도 운문과 초전에서는 김사미와 효심이 각각 농민을 이끌고 봉기하였다.
• 공주 명학소에서 망이·망소이 형제가 과도한 세금 부담을 견디지 못하고 봉기하였다.

① 이자겸이 막강한 권세를 누렸다.
② 고려가 고창 전투에서 승리하였다.
③ 무신들의 권력 다툼으로 정치가 혼란하였다.
④ 묘청 등이 난을 일으켰으나 관군에 진압되었다.
⑤ 호족이 불법으로 차지한 노비를 양인으로 풀어 주었다.

[16~17] 다음 도표는 무신 집권자와 지배 기구를 나타낸 것이다. 물음에 답하시오.

주요 16 (가)에 들어갈 인물에 대한 설명으로 옳은 것은?

① 도방을 확대하여 호위를 강화하였다.

② 천민 출신이지만 최고 권력자가 되었다.

③ 야별초를 조직하여 군사적 기반으로 삼았다.

④ 정방을 설치하여 관리의 인사권을 장악하였다.

⑤ 서방을 설치하여 문인들에게 정책을 자문받았다.

17 (나), (다)에 들어갈 지배 기구를 옳게 연결한 것은?

	(나)	(다)
①	도방	삼사
②	정방	도방
③	정방	서방
④	중방	삼사
⑤	중방	정방

18 (가)에 들어갈 내용으로 가장 적절한 것은?

> **무신 정변 이후 사회 변화**
> • 무신들의 권력 다툼으로 정치가 혼란해졌다.
> • 지배층의 수탈이 심해져 농민의 고통이 커졌다.
> •   (가)

① 경원 이씨 등 문벌이 집권하였다.

② 많은 발해 유민이 고려로 내려왔다.

③ 만적이 신분 해방을 위한 봉기를 계획하였다.

④ 전국을 5도, 양계, 경기로 나누어서 다스렸다.

⑤ 김부식이 묘청의 서경 천도 운동을 진압하였다.

19 밑줄 친 '이 관리'에 해당하는 관직명을 쓰고, 다음 제도를 실시한 이유를 서술하시오.

> 호족이나 공신을 이 관리로 삼아 그들의 출신 지역을 다스리게 한 제도이다. 최초로 이 관리로 임명된 인물은 신라 경순왕이다.

20 (가), (나)에 들어갈 중앙 정치 기구를 쓰고, 이 기구들의 공통점을 서술하시오.

> 고려의 중앙 정치 기구인 [(가)]에서는 주로 국방과 군사 문제를 논의하였고, [(나)]에서는 제도와 시행 규칙을 제정하였다.

21 지도에 표시된 봉기들이 일어난 배경을 세 가지 서술하시오.

02 고려의 대외 관계

내공 1 고려의 거란과 여진의 침입 격퇴

1 10세기 동아시아 정세: 다원적 국제 질서

(1) 거란: 만주에서 성장, 발해를 멸망시키고 만리장성 이남으로 세력 확대 ┌당 멸망 이후 등장하였던 5왕조와 10나라를 말해.

(2) 송: 5대 10국의 혼란기에 등장, 중국 통일, 거란을 견제하기 위해 고려와의 친선을 꾀함

(3) 고려: 북진 정책 추진, 거란은 견제, 송과는 우호 관계 체결

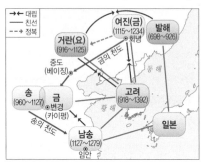

▲ 10~12세기 동아시아 정세

2 거란의 침입과 격퇴

┌송과 외교 관계를 끊는다는 조건으로 거란과 외교 관계를 맺고 압록강 동쪽의 강동 6주를 고려 영토로 인정받았어.

1차 침입	송과 고려의 연합을 막고자 거란이 고려 침략(993) → 서희가 거란 장수 소손녕과 담판 → 강동 6주 획득
2차 침입	고려가 송과 관계를 유지하자 강조의 정변을 구실로 거란이 다시 침략(1010) → 거란군의 개경 함락 → 양규 등의 활약으로 거란군을 물리침 강조가 목종을 몰아내고 현종을 즉위시킨 사건이야.
3차 침입	강동 6주의 반환을 요구하며 거란이 대규모로 침략(1018) → 강감찬이 이끄는 고려군이 귀주에서 거란군을 거의 전멸시킴(귀주 대첩, 1019) → 개경에 나성, 국경에 천리장성을 쌓아 북방 민족의 침입에 대비

▲ 거란의 침입과 격퇴

┌여진의 기병에 대항하기 위해 편성된 신기군(기병)을 중심으로 하여 신보군(보병), 항마군(승병)으로 이루어진 특수 부대야.

3 여진 정벌과 금의 사대 요구 수용

(1) 여진과의 관계: 고려는 여진 부족 추장에게 관직을 주고 회유 → 12세기에 여진이 완옌부를 중심으로 통합, 국경 지역을 자주 침략 → 고려는 윤관의 건의로 별무반을 편성해 여진 정벌, 동북 지방에 9성 축조 → 여진의 요청과 방어의 어려움 때문에 9성을 여진에 돌려줌

(2) 금과의 관계: 여진이 금 건국(1115) → 고려에 형제 관계 제의 → 금이 거란(요)을 멸망시키고 고려에 사대 관계 요구 → 이자겸 등이 금의 사대 요구 수용

◀ 척경입비도 | 윤관이 이끄는 고려군이 동북 지방에 9성을 개척하고 '고려지경(고려의 영토)'이라고 새긴 비석을 세우는 모습이 담겨 있다.

내공 2 고려의 대외 교류

1 송과의 교류

(1) 특징: 가장 활발하게 교류, 문화적·경제적인 실리 추구

(2) 문화 교류: 사신, 학자 등을 보내 송의 선진 문물을 수용 → 송의 제도를 참고하여 제도 정비, 송의 영향을 받아 초조대장경 간행·청자 제작·음악 발달 등

(3) 경제 교류: 송의 상인들이 주도, 서해안의 바닷길 이용(벽란도가 국제 무역항으로 성장), 비단·서적·약재 등 왕실과 귀족의 수요품 수입, 나전 칠기·화문석·종이·인삼 등 수출

┌우리나라 최초의 대장경으로 11세기 초부터 만들기 시작하여 11세기 말인 1087년에 완성하였어.

2 여러 나라와의 교류

거란	• 거란의 침입 격퇴 후 고려가 사신 파견, 거란도 파견 • 고려는 거란에 농기구·곡식 등을 보내고, 거란에서 은·모피·말 등을 들여옴(거란에서 들여온 대장경은 고려의 대장경 편찬에 도움 제공)
여진	고려에 말과 화살 등을 바치고, 식량과 농기구 등 생활 필수품을 받아 감
일본 상인	수은과 유황을 가져와 식량, 인삼, 서적 등과 바꾸어 감
아라비아 상인	벽란도를 통해 개경에 들어와 수은, 향료, 산호 등을 팔고 금, 비단 등을 사 감

┌이때 고려가 '코리아'라는 이름으로 서방 세계에 알려졌어.

▲ 고려 전기의 대외 교류

1 다음 설명이 맞으면 ○표, 틀리면 ✕표를 하시오.

(1) 중국에서는 5대 10국의 혼란한 시기를 거란이 통일하였다. ( )

(2) 송은 거란을 견제하기 위해 고려와 친선 관계를 꾀하였다. ( )

(3) 고려는 건국 초부터 북진 정책을 추진하여 거란을 견제하였다. ( )

2 다음 사실이 거란과 관련이 있으면 '거', 여진과 관련이 있으면 '여'라고 쓰시오.

(1) 발해를 멸망시키고 세력을 확대하였다. ( )

(2) 금을 세우고 고려에 형제 관계를 요구하였다. ( )

(3) 강조의 정변을 구실로 다시 고려를 침략하였다. ( )

(4) 고려는 별무반을 편성하여 정벌에 나서 동북 지방에 9성을 쌓았다. ( )

3 다음 사건들을 일어난 순서대로 나열하시오.

(가) 귀주 대첩
(나) 강동 6주 획득
(다) 동북 9성 축조
(라) 금의 사대 요구 수용

4 다음 인물과 관련이 있는 것을 옳게 연결하시오.

(1) 서희 •   • ㉠ 별무반
(2) 윤관 •   • ㉡ 귀주 대첩
(3) 강감찬 •   • ㉢ 강동 6주 획득

5 아라비아 상인은 고려의 ( )를 통해 개경에 들어와 수은, 향료, 산호 등을 팔았다.

 **족집게 문제**

내공 1 고려의 거란과 여진의 침입 격퇴

1 지도에 나타난 동아시아 정세에 대한 설명으로 옳지 않은 것은?

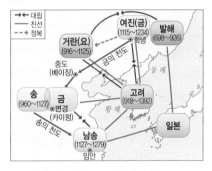

① 거란이 발해를 멸망시켰다.
② 송이 중국을 다시 통일하였다.
③ 고려는 거란의 침입을 격퇴하였다.
④ 고려는 오로지 송과만 교류하였다.
⑤ 여진이 금을 건국하고 거란(요)을 멸망시켰다.

중요 2 다음 주장을 펼친 인물로 옳은 것은?

> 만약 여진족을 쫓아내고 우리 옛 땅을 돌려주어 성을 쌓고 도로를 통하게 해 준다면 거란과 관계를 맺을 것이다.
> – 「고려사」

① 서희   ② 양규   ③ 윤관
④ 강감찬   ⑤ 이자겸

3 (가)에 들어갈 정답으로 옳은 것은?

> # ○○번 역사 문제
> 어떤 전투에 관해 묻는 문제입니다.
> 거란의 소배압이 10만 대군을 이끌고 고려를 침략하였으나 강감찬이 이끄는 고려군에게 크게 패하여 수천 명만 살아 돌아갔다고 합니다. 이 전투는 무엇일까요?
> 정답은 (가) 입니다.

① 귀주 대첩   ② 살수 대첩   ③ 관산성 전투
④ 기벌포 전투   ⑤ 안시성 싸움

4 지도의 (가)가 침입한 결과에 대한 설명으로 옳은 것은?

○●●●●●

① 이자겸 등이 금의 사대 요구를 받아들였다.
② 강조가 목종을 몰아내고 현종을 즉위시켰다.
③ 윤관이 특수 부대인 별무반 편성을 건의하였다.
④ 개경에 나성을 쌓고 국경 지역에 천리장성을 쌓았다.
⑤ 여진이 금을 세우고 고려에 형제 관계를 제안하였다.

중요 5 (가)~(라)를 일어난 순서대로 옳게 나열한 것은?

○●●●●●

> (가) 강동 6주를 고려의 영토로 인정받았다.
> (나) 양규 등의 활약으로 거란군을 물리쳤다.
> (다) 강감찬이 귀주에서 거란군을 크게 물리쳤다.
> (라) 개경에 나성을 쌓고 국경에 천리장성을 쌓았다.

① (가) – (나) – (다) – (라)   ② (가) – (나) – (라) – (다)
③ (가) – (라) – (다) – (나)   ④ (나) – (가) – (다) – (라)
⑤ (나) – (다) – (라) – (가)

6 밑줄 친 '이 사람'에 대한 설명으로 옳은 것은?

○●●●●●

「척경입비도」는 이 사람이 이끄는 고려군이 동북 지방에 9성을 개척하고 고려의 영토라고 새긴 비석을 세우는 모습을 그린 그림이다.

◀ 척경입비도

① 금의 사대 요구를 수용하였다.
② 별무반을 이끌고 여진 정벌에 나섰다.
③ 거란과 담판을 벌여 강동 6주를 얻었다.
④ 고려군을 이끌고 귀주에서 대승을 거두었다.
⑤ 교정도감을 설치하여 국가의 중요 정책을 결정하였다.

7 고려 관리의 대화 중 (가)에 들어갈 국가를 쓰시오.

○○●●●●

(가) 이/가 요를 멸하고, 군사는 날로 강해지니 형편상 섬기지 않을 수 없습니다.

아닙니다. (가) 에 사대해서는 절대 안 됩니다.

8 (가)에 들어갈 내용으로 가장 적절한 것은?

○○●●●●

10~12세기 고려의 대외 관계	
거란(요)	여진(금)
• 강동 6주 획득 • 양규의 활약 • 귀주 대첩	• 별무반 조직 • 동북 9성 설치 • (가)

① 평양 천도   ② 강조의 정변
③ 을지문덕의 활약   ④ 서희의 외교 담판
⑤ 이자겸의 사대 요구 수용

내공 2 고려의 대외 교류

9 밑줄 친 '그들'의 활동에 대한 설명으로 옳은 것은?

○○●●●●

> 정종 6년(1040) 11월 그들 보나합 등이 와서 수은, 점성향(베트남에서 생산되는 향료), 몰약(방부제) 등의 물건을 바쳤다. 왕이 그들을 객관에서 후하게 대접하도록 하고, 그들이 돌아갈 때 금과 비단을 내렸다.
> – 『고려사』

① 벽란도로 들어와 수은, 향료, 산호 등을 팔았다.
② 은, 모피, 말 등을 수출하고 농기구와 곡식을 사 갔다.
③ 비단, 서적, 약재 등 왕실과 귀족의 수요품을 가져왔다.
④ 고려와의 관계를 통하여 거란, 여진 등을 견제하려 하였다.
⑤ 수은과 유황을 가져와 식량, 인삼, 서적 등과 바꾸어 갔다.

10 (가)에 들어갈 국가로 옳은 것은?

> 고려와 (가) 의 교류
> • 고려와 가장 활발하게 교류
> • 사신, 학자 등을 보내 (가) 의 선진 문물 수용
> • 고려의 청자 제작, 음악 발달 등에 영향을 줌

① 금   ② 송   ③ 요
④ 원   ⑤ 일본

11 (가)에 들어갈 무역항으로 옳은 것은?

외국에서 고려에 오는 상인은 예성강 입구에 있는 항구인 (가) 에 도착한 후, 개경으로 향하였다.

① 기벌포   ② 당항성   ③ 벽란도
④ 울산항   ⑤ 청해진

중요 12 (가)~(라)와 고려의 대외 교류에 대한 설명으로 옳은 것을 〈보기〉에서 고른 것은?

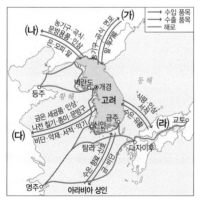

• 보기 •
ㄱ. (가) – 주로 서해안의 바닷길을 이용하였다.
ㄴ. (나) – 고려의 대장경 편찬에 영향을 주었다.
ㄷ. (다) – 고려와 가장 활발하게 교류하였다.
ㄹ. (라) – 고려에 비단, 서적 등을 가져왔다.

① ㄱ, ㄴ   ② ㄱ, ㄷ   ③ ㄴ, ㄷ
④ ㄴ, ㄹ   ⑤ ㄷ, ㄹ

13 다음 외교 담판이 벌어진 계기와 결과를 서술하시오.

> 고려는 신라를 계승하였으므로 고구려 옛 땅은 우리 거란 것이다.
>
> 아니다. 우리가 바로 고구려의 후계자이다. 그러므로 나라 이름을 고려라고 한 것이다.

_____

_____

14 다음 사건의 명칭을 쓰고, 이 사건 이후 고려가 북방 민족의 침략에 대비하여 세운 대책을 서술하시오.

> 거란이 강동 6주의 반환을 요구하며 다시 침입하였지만, 귀주에서 강감찬이 이끄는 고려군에게 크게 패하였다.

_____

_____

_____

15 (가), (나)에 들어갈 무역 품목과 활동을 문장으로 적절하게 서술하시오.

> 고려와 송의 경제적 교류는 주로 송의 상인들이 주도하였다. 북방에 거란, 여진이 있었으므로 서해안의 바닷길을 이용하였다. 송의 상인들은 _____(가)_____. 고려에서는 _____(나)_____.

_____

_____

_____

03 몽골의 간섭과 고려의 개혁

내공 1 고려의 몽골 침략 극복

1 몽골과의 접촉과 몽골의 침략

(1) 몽골과의 접촉: 13세기 초 몽골의 세력 확대 → 거란인이 몽골군에 쫓겨 고려에 침입 → 고려가 몽골군과 연합하여 거란인이 있던 강동성을 함락 → 고려와 몽골이 국교 수립 └ 몽골 사신 저고여가 귀국길에 압록강 근처에서 살해당하였어.

(2) 몽골의 1차 침략: 몽골의 공물 요구로 갈등 심화 → 몽골 사신 피살 사건 발생 → 몽골이 국교 단절 후 고려 침략 (1231) → 귀주성은 수호했으나 결국 고려군 패배 → 최씨 정권이 몽골과 강화 → 몽골군이 다루가치를 두고 철수 └ 박서가 몽골군의 공격을 막아 냈어. └ 몽골어로 중하급 관청이나 지방의 최고 책임자를 뜻해. 고려의 내정을 감독하였어.

2 강화 천도와 장기간의 항전

(1) 강화 천도: 몽골의 간섭에 맞서 최씨 정권이 강화도 천도 (1232), 항전 준비 └ 내륙에서 몽골군에 맞서 싸우는 것이 힘들다고 판단하여 수도를 개경에서 강화도로 옮겼어.

(2) 장기간의 항전: 몽골이 다시 침략 → 처인성 전투에서 고려가 승리(1232) → 몽골의 수차례 침략에 고려 관군과 백성이 항쟁(충주성 전투 등) └ 승려 김윤후와 처인 부곡민이 몽골군의 총사령관인 살리타를 죽였어.

(3) 팔만대장경 제작: 최씨 정권이 주도하여 민심을 모으고, 불교의 힘으로 몽골의 침입을 막아 내고자 제작 └ 김윤후가 노비 문서를 불태워 노비의 사기를 북돋아 충주성을 지켜 냈어.

3 전쟁의 피해와 몽골과의 강화

(1) 전쟁의 피해: 국토가 황폐해짐, 많은 사람이 죽거나 포로로 끌려감, 문화유산 소실(대구 부인사 초조대장경 판목, 황룡사 9층 목탑 등)

(2) 몽골과의 강화: 몽골이 강화 제안 → 최씨 정권이 항전 주장 → 무신들이 최씨 정권을 무너뜨린 후 강화 추진 → 고려의 독립과 풍속 유지 조건으로 강화

(3) 고려의 개경 환도: 몽골이 고려에 개경 환도와 일본 원정 지원 요구 → 무신 정권이 저항하려다 내분으로 붕괴 → 고려 정부의 개경 환도(1270)

(4) 삼별초의 항쟁: 삼별초가 개경 환도에 반대하며 봉기 → 진도를 근거지로 삼아 남해안 일대 장악 → 고려와 몽골 연합군의 공격 → 제주도로 옮겨 항쟁하였으나 진압됨

▲ 몽골의 침입과 항쟁

└ 삼별초가 고려와 몽골 연합군에 맞서 마지막까지 싸운 곳이야.

▲ 제주 항파두리 항몽 유적

내공 2 원의 내정 간섭과 공민왕의 개혁 정치

1 원의 내정 간섭과 영향

(1) 원의 내정 간섭

① 고려 영토의 일부 지배: 쌍성총관부(철령 이북), 동녕부(서경), 탐라총관부(제주도) 설치 └ 행성은 원이 직할지 통치와 대규모 군사 행동을 위해 설치한 기구야.

② 정동행성 설치: 일본 원정을 위해 고려에 함선·물자·병사를 요구하며 설치, 이후 고려의 내정을 간섭

③ 왕실 호칭 및 관제 격하: 고려 국왕이 원의 공주와 혼인, 왕자들은 원에서 성장 → 제후국 수준으로 격하

왕실 호칭 격하	폐하 → 전하, 태자 → 세자로 호칭 변화, ○조/종 → 충(忠)○왕으로 시호 변화
관제 격하	2성(중서문하성·상서성) 6부 → 1부(첨의부) 4사 등

④ 조공 요구: 금·인삼·사냥용 매 등 특산물 징발, 환관과 공녀 등 인력 수탈 └ 고려는 원에 바칠 매를 기르기 위해 응방을 설치하였어. 응방의 관리는 권세를 누리기도 하였지.

(2) 원의 내정 간섭의 영향: 고려와 원의 문화 교류 활발

① 몽골풍: 고려에서 변발, 몽골식 복장과 음식, 용어 유행

② 고려양: 원에 고려의 복식과 음식 등 전래 └ 발립(모자)과 철릭(겉옷), 소주와 만두, 수라·무수리·벼슬아치의 ~치 등

2 권문세족의 성장과 횡포

(1) 권문세족의 성장

① 배경: 원의 간섭 → 원에 기대어 권력을 누리는 세력 성장

② 구성: 기존 지배 세력＋몽골어 통역관(조인규)·원에서 왕이나 왕자를 보좌한 사람·원 황실과 혼인한 가문(기철) 등

③ 특징: 높은 관직 독점, 음서로 권력 세습, 친원적 성향

(2) 권문세족의 횡포와 고려 왕의 개혁 └ 가난한 백성을 자신의 농장에 숨겼어.

① 권문세족의 횡포: 불법적으로 남의 토지와 노비를 빼앗아 막대한 농장 소유, 세금 안냄 → 농민 몰락, 국가 재정 궁핍

② 고려 왕의 개혁: 충선왕, 충목왕 등의 개혁 시도 → 권문세족의 반발과 원의 간섭으로 실패 └ 세금을 내는 토지와 백성이 감소하였기 때문이야.

┌─ 권문세족
요즘 들어 간악한 도당들이 남의 토지를 빼앗음이 매우 심하다. 그 규모가 한 주(州)보다 크기도 하고, 군(郡) 전체를 포함해 산천으로 경계를 삼는다. 남의 땅을 조상으로부터 물려받은 땅이라고 우기면서 주인을 내쫓고 땅을 빼앗는다. 한 토지의 주인이 대여섯 명이 넘기도 하니, 농민들은 세금으로 생산량의 8~9할을 내야 한다. － 「고려사」

▲ 권문세족의 횡포

3 공민왕의 개혁 정치

(1) 배경 : 14세기 중반 원의 쇠퇴와 명의 등장

(2) 반원 자주 개혁: 기철 등 친원 세력 제거, 내정 간섭의 핵심 기구인 정동행성이문소 폐지, 쌍성총관부를 공격해 철령 이북 영토 회복, 왕실의 호칭과 관제 복구, 몽골풍 금지

(3) 내정 개혁

① 정방 폐지: 국왕이 인사권 장악

② 전민변정도감 설치: 신돈을 등용해 권문세족이 불법으로 빼앗은 토지와 노비를 원래 주인에게 돌려주고 강제로 노비가 된 사람들을 해방시킴 └ 공민왕은 이색, 정몽주, 정도전 등을 성균관 책임자 및 교관으로 임명하였어.

③ 성균관 정비: 유학 교육을 강화해 개혁 세력 양성

(4) 결과: 권문세족 반발, 신돈 제거, 공민왕 시해로 개혁 중단

(5) 의의: 고려의 자주성 회복, 신진 사대부 성장에 크게 기여

> 토지와 노비를 권세 있는 집에서 거의 다 빼앗아 가졌다. ‥‥‥ 백성을 노비로 만들기도 하였다. ‥‥‥ 이제 도감을 설치하여 바로잡겠다. ‥‥‥ 스스로 잘못을 알고 고치면 죄를 묻지 않을 것이나, 기한을 넘겨 일이 발각되면 죄를 조사하여 다스릴 것이다.
> └권문세족 └전민변정도감
> – 「고려사」

▲ 전민변정도감 포고문

내공 3 신진 사대부의 성장과 고려의 멸망

1 신진 사대부와 신흥 무인 세력의 성장

(1) 신진 사대부의 성장   ┌ 명분과 도덕을 중시한 유학이야.

① 특징: 대개 하급 관리나 지방 향리의 자제, 성리학 공부, 과거에 급제하여 관직에 진출, 공민왕의 개혁 과정에서 성장해 점차 독자적 정치 세력 형성 └ 성리학의 이념과 가치가 반영된 개혁을 강조하였어.

② 활동: 권문세족의 비리 비판, 개혁·명과의 화친 주장

(2) 신흥 무인 세력의 성장: 홍건적과 왜구의 침입 → 외적을 물리친 무인들이 백성의 신망을 얻음(이성계가 대표적)
└ 원 말기에 일어난 한족 농민 반란군으로 원의 공격에 밀려 고려에 두 차례 침입하였어. 머리에 붉은 두건을 써서 홍건적이라 불렸지.

2 위화도 회군과 고려의 멸망

(1) 위화도 회군

① 배경: 고려와 명의 외교 관계 수립 → 명이 철령 이북 땅 요구 → 우왕과 최영이 요동 정벌 추진

② 과정: 요동 정벌에 반대한 이성계가 위화도에서 회군 → 우왕과 최영을 몰아내고 정치·군사의 실권 장악

▲ 위화도 회군

┌ 명은 원이 지배하다 공민왕이 되찾은 옛 쌍성총관부 지역을 직접 다스리겠다고 요구하였어.

┌ 이색, 정몽주 등은 고려 전기의 제도를 회복하자고 주장하였고, 정도전, 조준 등은 새 왕조 개창을 주장하였어.

(2) 고려의 멸망

① 신진 사대부의 분열: 왕조 교체를 둘러싸고 분열

② 고려의 멸망: 이성계와 왕조 교체를 주장한 사대부(정도전 등)가 개혁 추진, 왕조 교체에 반대한 정몽주 제거 → 이성계가 즉위 → 고려 멸망, 조선 건국(1392)
└ 토지 제도, 조세 제도를 바로잡아 권문세족의 경제적 기반을 약화시켰어.
└ 이방원이 보낸 사람에게 피살되었어.

개념 확인하기

정답과 해설 14쪽

1 다음 설명이 맞으면 ○표, 틀리면 ✕표를 하시오.

(1) 몽골의 침략에 대비하여 최씨 정권은 수도를 강화도로 옮겼다. (   )

(2) 최씨 정권은 불교의 힘으로 왜구를 물리치고자 팔만대장경을 제작하였다. (   )

(3) 홍건적과 왜구의 침입을 물리치는 과정에서 신흥 무인 세력이 성장하였다. (   )

2 다음 괄호 안의 내용 중 알맞은 말에 ○표를 하시오.

(1) 신진 사대부는 도덕과 명분을 중시하는 (선종, 성리학)을 공부하였다.

(2) 원은 일본 원정을 위해 (다루가치, 정동행성)을/를 고려에 설치하였다.

(3) 권문세족은 높은 관직을 독점하고, (과거, 음서)를 이용하여 권력을 세습하였다.

(4) 무신 정권의 군사적 기반이었던 (도방, 삼별초)은/는 개경 환도에 반대하며 봉기하였다.

3 다음 인물과 그 활동을 옳게 연결하시오.

(1) 김윤후 •   • ㉠ 위화도 회군

(2) 이성계 •   • ㉡ 왕조 교체 반대

(3) 정도전 •   • ㉢ 왕조 교체 찬성

(4) 정몽주 •   • ㉣ 처인성 전투 승리

4 공민왕은 (   )을 등용하여 권문세족이 빼앗은 토지와 노비를 원래 주인에게 돌려주고 강제로 노비가 된 사람들을 해방하는 기구로 전민변정도감을 설치하였다.

5 다음 내용에 해당하는 사람들만을 〈보기〉에서 있는 대로 골라 기호를 쓰시오.

┌─ 보기 ─────────────────┐
ㄱ. 기철   ㄴ. 정도전
ㄷ. 정몽주   ㄹ. 이성계
└──────────────────────┘

(1) 권문세족   (   )

(2) 신진 사대부   (   )

(3) 조선 건국 주도자   (   )

03. 몽골의 간섭과 고려의 개혁 **49**

족집게 문제

내공 **1**   고려의 몽골 침략 극복

1 다음 사건 이후에 일어난 일로 옳지 <u>않은</u> 것은?

> 1225년(고종 12) 고려에 왔던 몽골 사신 저고여가 본국으로 돌아가는 도중에 압록강 근처에서 피살되었다.

① 고려가 몽골군과 함께 강동성을 함락하였다.
② 경주의 황룡사 9층 목탑이 불에 타 없어졌다.
③ 최씨 정권이 수도를 개경에서 강화도로 옮겼다.
④ 고려 정부가 몽골과 강화를 맺고 개경으로 돌아왔다.
⑤ 삼별초가 개경으로 돌아가는 데 반대하며 봉기하였다.

중요 **2** (가) 시기에 나타난 모습으로 옳은 것은?

〈고려의 몽골 침입 격퇴〉

몽골의 1차 침입 ➡ (가) ➡ 개경 환도

① 윤관이 동북 지역에 9성을 쌓았다.
② 처인 부곡민들이 몽골군을 물리쳤다.
③ 공민왕이 정동행성이문소를 폐지하였다.
④ 고려에 온 몽골 사신이 귀국길에 살해되었다.
⑤ 삼별초가 고려와 몽골의 연합군에게 진압되었다.

3 (가)에 들어갈 군대로 옳은 것은?

> (가) 이/가 고려와 몽골 연합군에 맞서 마지막까지 싸운 곳이다.

◀ 제주 항파두리 항몽 유적

① 도방   ② 별무반   ③ 삼별초
④ 주진군   ⑤ 주현군

내공 **2**   원의 내정 간섭과 공민왕의 개혁 정치

주관식

4 (가)에 들어갈 정답을 쓰시오.

> **# ○○번 역사 문제**
>
> 어떤 기구에 관해 묻는 문제입니다.
> 공민왕은 이 기구를 설치해 권문세족이 불법적으로 빼앗은 토지와 노비를 원래 주인에게 돌려주고 강제로 노비가 된 사람들을 해방하였습니다. 이 기구의 이름은 무엇일까요?
>
>   정답은   (가)   입니다.

5 다음 모습이 나타난 시기의 사실로 옳지 <u>않은</u> 것은?

> 고려 남자들은 몽골식 머리(변발)를 하고 원에서 유행한 모자 발립을 썼으며, 겉옷 철릭을 입었다.

① 고려의 국왕이 원의 공주와 혼인하였다.
② 원이 환관과 공녀 등 많은 고려인을 끌고 갔다.
③ 고려의 왕실 호칭과 관직 이름의 격이 낮아졌다.
④ 고려에서 무신 정변이 일어나 무신이 집권하였다.
⑤ 원이 고려에서 금, 인삼, 매 등 특산물을 거두어 갔다.

중요 **6** (가)에 들어갈 왕에 대한 설명으로 옳은 것은?

> **역사 신문**   ○○○○. ○○. ○○
>
> **(가) , 원에 빼앗긴 영토를 되찾다**
>
> 고려군이 쌍성총관부를 공격하여 철령 이북의 땅을 점령하였다. 이로써 고려는 충렬왕 때 동녕부와 탐라총관부를 돌려받은 데 이어 원에 빼앗겼던 영토를 모두 회복하였다.

① 훈요 10조를 남겼다.
② 과거제를 도입하였다.
③ 천리장성을 축조하였다.
④ 노비안검법을 시행하였다.
⑤ 정동행성이문소를 폐지하였다.

출제율 ●●●●● 시험에 꼭 나오는 출제 가능성이 높은 예상 문제로, 내신 100점을 받기 위한 필수 문항들

내공 **3** 신진 사대부의 성장과 고려의 멸망

7 밑줄 친 '외적'에 해당하는 것을 〈보기〉에서 고른 것은?

> 14세기 후반에 고려에서는 외적의 침입을 물리친 무인들이 백성의 신망을 얻어 정치 세력을 형성하였다. 이성계는 이 시기에 성장한 대표적인 신흥 무인 세력이었다.

• 보기
ㄱ. 거란　　　　　ㄴ. 몽골
ㄷ. 왜구　　　　　ㄹ. 홍건적

① ㄱ, ㄴ　　② ㄱ, ㄷ　　③ ㄴ, ㄷ
④ ㄴ, ㄹ　　⑤ ㄷ, ㄹ

8 지도의 (가) 사건의 결과로 옳은 것은?

① 원이 내정을 간섭하였다.
② 금이 사대 관계를 요구하였다.
③ 문신이 제거되고 의종이 폐위되었다.
④ 이성계가 정치·군사의 실권을 잡았다.
⑤ 개경에 나성, 국경에 천리장성을 쌓았다.

중요 **9** 다음 인물들의 공통점에 대한 설명으로 옳은 것은?

> • 이색　　　• 정도전　　　• 정몽주

① 다른 사람의 토지를 빼앗아 큰 농장을 경영하였다.
② 풍수지리설을 근거로 하여 서경 천도를 주장하였다.
③ 성리학의 이념과 가치관이 반영된 개혁을 추구하였다.
④ 고려 전기에 왕실 및 문벌과 혼인하며 세력을 확대하였다.
⑤ 삼별초를 조직하여 정권 유지를 위한 군사 기반을 다졌다.

10 지도의 (가)를 쓰고, 이들이 대몽 항쟁을 지속한 이유를 서술하시오.

11 밑줄 친 '이 기구'의 명칭을 쓰고 이 기구에서 실시한 개혁 내용을 서술하시오.

> 토지와 노비를 권세 있는 집에서 거의 다 빼앗아 가졌다. 돌려주라고 판결을 했는데도 그대로 가지고 있고, 백성을 노비로 만들기도 하였다. …… 이제 이 기구를 설치하여 바로잡겠다. …… 스스로 잘못을 알고 고치면 죄를 묻지 않을 것이나, 기한을 넘겨 일이 발각되면 죄를 조사하여 다스릴 것이다.
> – 「고려사」

12 (가)에 들어갈 정치 세력의 특징을 세 가지 이상 서술하시오.

> 원 간섭기에는 새로운 정치 세력인 [(가)] 이/가 등장하였다. 이들은 대부분 하급 관리나 지방 향리의 자제였으며, 권문세족 출신도 있었다.

III. 고려의 성립과 변천

04 고려의 생활과 문화

내공 1 고려 사람들의 생활

1 고려의 신분

> 고려 정부는 이들을 보호하기 위해 곡식을 봄에 빌려주고 가을에 돌려받는 의창, 의료 기관이자 구제 기관 역할도 하는 동서 대비원 등을 운영하였다.

(1) 양인: 관료·향리(국가로부터 전시과·녹봉 받아 생활), 백정(농민층, 일반 군현에 거주, 국가에 세금 바침)

(2) 천인: 노비(매매·증여·상속 대상, 일천즉천)

> 부모 중 한 사람이 노비이면 그 자녀도 모두 노비가 되었어.

2 고려의 가족 제도

(1) 특징: 성별이나 혼인 여부와 관계없이 각자의 혈연 중심

(2) 내용

> 아들과 딸, 남편과 부인이 평등한 관계를 유지하고 친가와 외가의 구분이 거의 없었어.

재산 소유·분배	여성이 결혼 후에도 자신의 재산을 따로 가짐, 부모의 재산을 아들과 딸에게 균등하게 분배함
제사	부모의 제사도 자녀들이 돌아가면서 나누어 맡음, 아들이 없으면 딸이 부모의 제사를 지냄
혼인	일부일처제와 처가살이가 일반적, 이혼과 재혼 가능
호적	남편이 죽은 뒤 여성 호주 가능, 호적에 남녀 차별 없이 태어난 순서대로 이름을 적음 신랑이 신부의 집에 살았어.
상례	친가와 외가의 상 기간에 차등을 두지 않음
음서제	사위나 조카, 친손자와 외손자도 음서의 대상이 됨
친족 호칭	부계와 모계의 구분 없음(한아비, 한어미, 아자미, 아자비)
족보	친손과 외손을 모두 기록

> 일반적으로 같은 신분 내에서 혼인하였다.

> 할아버지와 외할아버지 / 할머니와 외할머니 / 이모와 고모 / 큰·작은 아버지와 외삼촌

3 백성의 풍속

(1) 향도

① 전기: 불교 신앙을 바탕으로 조직된 대규모 노동 조직, 향리를 중심으로 운영, 매향 활동 및 절·불상·석탑 건립 시 주도적인 역할 담당

> 죽은 뒤의 복을 빌고자 강이나 바닷가에 향나무를 묻는 일을 말해.

② 후기: 이웃의 상장례를 함께 치르고, 연회로 친목을 도모하는 소규모 농민 조직으로 변모

(2) 토속 신앙: 각 지역 출신의 위대한 인물을 지역의 수호신으로 숭배, 제사

내공 2 고려의 종교와 학문의 발달

1 불교 사상의 발전과 변화

> 최고의 승직으로 덕이 높아 나라나 왕의 스승이 될 만한 승려에게 주었어.

고려 초기	• 태조: 연등회 등의 불교 행사 개최 당부 • 광종: 승과 설치, 국사와 왕사 제도 정비
고려 중기	• 배경: 선종 중심, 국가의 지원을 받은 교종도 세력 강화 • 의천의 교단 통합 운동: 천태종을 창시해 교종 중심으로 선종 통합 의천은 경전 연구와 깨달음 수행을 함께 하라고 했어.
무신 집권기	• 배경: 선종이 무신 정권의 후원으로 성장, 불교의 세속화 • 지눌의 불교 개혁 운동: 불교의 세속화 비판, 정혜결사(수선사)를 중심으로 개혁 운동 전개, 불교 본연의 수행 강조, 선종 중심의 교종 포용, 선종과 교종의 공존·조화 이룩
원 간섭기	권문세족과 연결되어 사원이 막대한 토지 소유, 고리대를 통한 재산 축적 등 폐단 심각

> 지눌은 깨달음을 수행하는 선종과 지혜를 수행하는 교종은 결국 같은 것이라고 보았어.

2 도교와 풍수지리설의 유행

(1) 도교: 왕실과 지배층에서 유행, 국가의 안녕과 왕실의 번영 기원, 하늘에 제사 지내는 도교 행사를 자주 개최

(2) 풍수지리설: 도참사상과 결합하여 더욱 성행, 묘청의 서경 천도 주장 뒷받침 미래의 운명을 예언하는 사상이야.

3 유학 교육의 강화와 성리학의 수용

(1) 유학 교육의 강화

> 한때 국학으로 불리다가 고려 후기에 성균관으로 이름이 바뀌었어.

① 과거제 실시: 유교적 소양을 갖춘 인재를 관리로 등용

② 교육 기관 설치: 개경에 국자감·지방에 향교 설치, 사립 학교의 번성(사학 12도) 최충의 9재 학당(문헌공도)이 대표적이야.

(2) 성리학의 수용

> 인간의 심성 문제와 우주의 근본 원리를 철학적으로 탐구하는 학문으로 남송의 주희가 집대성하였다.

① 수용: 원으로부터 수용, 안향이 소개

② 발달: 성균관 정비, 과거에 반영되어 확산

③ 영향: 성리학을 개혁 사상으로 수용한 신진 사대부가 권문세족의 횡포와 불교의 사회·경제적 폐단 비판

4 역사서의 편찬

> 김부식은 유교적 합리주의 사관에 따라 전설이나 설화와 같이 믿지 못할 이야기는 자세히 기록하지 않았어.

고려 전기	• 『삼국사』, 『7대 실록』 등을 편찬하였으나 전하지 않음 • 『삼국사기』: 현존하는 가장 오래된 역사서, 김부식이 유교의 합리주의 사관에 따라 서술, 통일 신라 계승 의식을 반영
무신 집권기	「동명왕편」: 이규보가 저술, 동명왕의 업적 칭송, 고구려 계승 의식 반영
원 간섭기	• 『삼국유사』: 일연이 삼국의 역사와 함께 고대의 설화와 전설을 수록, 처음으로 단군의 건국 이야기를 기록 • 『제왕운기』: 이승휴가 단군에서 시작되는 우리 역사의 독자성 강조
고려 말	『사략』: 이제현이 저술, 성리학적 유교 사관의 영향을 받아 정통 의식과 대의명분 강조

> 마땅히 지켜야 할 도리와 본분이야.

> 몽골의 침입과 원 간섭기를 겪으면서 『삼국유사』, 『제왕운기』 등 자주 의식을 담은 역사서가 편찬되었어.

▲ 김부식의 『삼국사기』 　　　　▲ 일연의 『삼국유사』

내공 3 고려의 예술과 인쇄술의 발달

1 다양한 불교 예술

> 고려 시대에는 불교가 문화의 중심을 이루어 불교 예술이 발달하였다.

(1) 불상: 하남 하사창동 철조 석가여래 좌상(대형 철제 불상), 논산 관촉사 석조 미륵보살 입상(대규모 석조 불상), 영주 부석사 소조 아미타여래 좌상(통일 신라의 불상 양식 계승)

> 국내 최대 규모의 석불로 은진 미륵이라고도 해. 형식에 구애받지 않는 자유분방함이 특징이야.

고려 시대에는 여러 형태의 탑이 제작
되었는데, 다각 다층탑이 유행하였어.

(2) 석탑: 3층 석탑(신라 양식 계승), 평창 월정사 8각 9층 석탑
(다각 다층탑), 개성 경천사지 10층 석탑(원의 영향)

(3) 승탑: 여주 고달사지 승탑

(4) 건축 ─ 기둥의 가운데가 볼록한 것이 특징이야.
① 배흘림기둥과 주심포 양식: 안동 봉정사 극락전, 영주 부
석사 무량수전, 예산 수덕사 대웅전 ─ 공포가 기둥 위에만 있어.

② 다포 양식(원의 영향): 황주 성불사 응진전
└ 공포가 기둥과 기둥 사이에도 있어.

▲ 논산 관촉사 석조
미륵보살 입상

▲ 평창 월정사
8각 9층 석탑

▲ 영주 부석사 무량수전

2 자기와 공예

(1) 자기
① 고려청자: 당·송의 기술을 받아들여 순청자
제작(11세기) → 독자적인 기법을 창안해
상감 청자 제작(12세기)

┌ 청자의 겉을 파내고 그 자리에 흰 흙이나
붉은 흙을 메워 무늬를 만들고, 유약을 발
라 색을 내는 상감법을 적용한 청자야.

② 분청사기: 청자 제작 기법에 새로운 기법
응용(고려 말)

(2) 공예
┌ 동, 철 등의 금속에 선이나 홈을 판
후 그 부분에 금, 은, 동, 주석 등
다른 금속을 채워 넣는 기법이야.
① 금속 공예: 입사 기법이 발달

② 목공예: 나전 칠기 공예 발달
└ 옻칠한 그릇이나 가구의 표면 위에 자개를
붙여 여러 가지 무늬를 낸 공예품이야.

▲ 청자 상감
운학문 매병

3 그림, 글씨와 음악의 발달

(1) 그림: 「천산대렵도」(공민왕의 작품으로 추정), 다양한 불화
(「수월관음도」, 「양류관음도」 등) ─ 비단에 금가루 등을 사용해 부처
와 이상 세계를 표현한 그림이야.

(2) 글씨: 구양순체 유행, 탄연의 글씨가 유명

(3) 음악: 송의 대성악이 전래되어 궁중 음악인 아악 발전, 당
악의 영향으로 속악(향악) 발달

┌ 한 권의 책을 내는 데에 여러 장의 판목이 필요하여
많은 시간과 비용이 들고 보관이 어려워.

4 목판 인쇄술의 발달과 금속 활자의 발명
┌ 2007년 유네스코 세계 기록
유산에 등재되었어.
(1) 목판 인쇄술의 발달: 초조대장경 제작(몽골 침입 때 소실),
팔만대장경 제작(합천 해인사 장경판전에 보관)

(2) 금속 활자의 발명 ─ 주조해 둔 활자로 필요할 때마다 판을 짜서 책을
인쇄하여 목판 인쇄보다 적은 시간과 비용이 들어.
① 『상정고금예문』: 세계 최초의 금속 활자본, 1234년에 인쇄
했다는 기록이 있으나 현재 전하지 않음

② 『직지심체요절(직지)』: 1377년 청주 흥덕사에서 간행, 현존
하는 세계에서 가장 오래된 금속 활자 인쇄본

▲ 합천 해인사 장경판전

▲ 『직지심체요절(직지)』

1 다음 설명이 맞으면 ○표, 틀리면 ✕표를 하시오.
(1) 부모의 제사는 아들만 지냈다. (   )
(2) 여성은 결혼 후에도 자신의 재산을 따로 가졌다.
(   )
(3) 여성은 남편이 죽은 뒤에 호주가 될 수 있었다.
(   )
(4) 사위나 조카, 친손자와 외손자도 음서의 대상이었다.
(   )

2 (   )는 고려 시대에 불교 신앙을 바탕으로 조직
된 대규모 노동 조직이다.

3 다음 괄호 안의 내용 중 알맞은 말에 ○표를 하시오.
(1) (광종, 태조)은/는 승과를 설치하고 국사와 왕사 제
도를 정비하였다.
(2) 고려 왕실에서는 하늘에 제사 지내는 (도교, 불교)
행사를 자주 열었다.
(3) 신진 사대부는 (성리학, 풍수지리설)을 수용하여 개
혁 사상으로 삼았다.
(4) (의천, 지눌)은 불교의 세속화를 비판하고, 수선사
를 중심으로 불교 개혁 운동을 펼쳤다.
(5) 고려는 유학을 장려하고 발전시키고자 중앙에 최고
교육 기관인 (향교, 국자감)을/를 설치하였다.

4 다음 역사서와 관련이 있는 내용을 옳게 연결하시오.
(1) 사략 •   • ㉠ 고구려 계승 의식
(2) 동명왕편 •   • ㉡ 단군의 건국 이야기
(3) 삼국사기 •   • ㉢ 성리학적 유교 사관
(4) 삼국유사 •   • ㉣ 통일 신라 계승 의식

5 다음 설명에 해당되는 문화유산을 〈보기〉에서 골라 기호
를 쓰시오.

• 보기 •
ㄱ. 양류관음도
ㄴ. 직지심체요절(직지)
ㄷ. 영주 부석사 무량수전
ㄹ. 개성 경천사지 10층 석탑

(1) 원의 영향을 받은 석탑 (   )
(2) 배흘림기둥을 지닌 주심포 양식 건물 (   )
(3) 현존하는 세계에서 가장 오래된 금속 활자 인쇄본
(   )
(4) 비단에 금가루 등을 사용해 불교의 이상 세계를 그
린 그림 (   )

족집게 문제

내공 1 고려 사람들의 생활

중요 1 다음 대화를 토대로 고려 사람들의 생활 모습을 옳게 추론한 것을 〈보기〉에서 고른 것은?

어머니, 제가 6남매 중 외아들이라고 다른 누이들보다 노비 40명을 더 주시는 건 옳지 않습니다.

그렇구나.

• 보기 •
ㄱ. 노비는 매매·증여·상속의 대상이었다.
ㄴ. 남자를 중심으로 재산을 차등 분배하였다.
ㄷ. 큰아들을 중심으로 재산을 차등 분배하였다.
ㄹ. 부모의 재산을 아들과 딸에게 균등하게 분배하였다.

① ㄱ, ㄴ ② ㄱ, ㄹ ③ ㄴ, ㄷ
④ ㄴ, ㄹ ⑤ ㄷ, ㄹ

2 다음 사실이 있었던 시기의 혼인 제도에 대한 설명으로 옳지 <u>않은</u> 것은?

아버지와 어머니의 아버지는 모두 한아비(할아비)라고 하였다. 어머니의 자매와 아버지의 누이는 아자미, 아버지의 형제와 어머니의 남자 형제는 아자비라고 불렀다.

① 일부다처제가 일반적이었다.
② 사위가 처가살이 하는 경우가 많았다.
③ 남성과 여성은 모두 이혼을 요구할 수 있었다.
④ 같은 신분이나 계층끼리 결혼하는 경우가 많았다.
⑤ 부부 중 한쪽이 사망하면 재혼하는 것을 당연시하였다.

주관식
3 다음에서 설명하는 공동체 조직을 쓰시오.

• 매향 활동을 하고 절이나 불상, 석탑 등을 만들 때 주도적인 역할을 하였다.
• 고려 후기에는 이웃의 상장례를 함께 치르고 연회를 베풀어 친목을 다지는 농민 조직으로 변하였다.

내공 2 고려의 종교와 학문의 발달

4 (가)에 들어갈 내용으로 적절한 것을 〈보기〉에서 고른 것은?

불교의 발달
• 태조: 훈요 10조 → 불교 숭상 강조, 연등회와 팔관회 개최 당부
• 광종: _____(가)_____

• 보기 •
ㄱ. 팔만대장경 간행
ㄴ. 과거에 승과 설치
ㄷ. 국사와 왕사 제도 정비
ㄹ. 개성 경천사지 10층 석탑 건립

① ㄱ, ㄴ ② ㄱ, ㄷ ③ ㄴ, ㄷ
④ ㄴ, ㄹ ⑤ ㄷ, ㄹ

중요 5 다음 인물에 대한 설명으로 옳은 것은?

왕족 출신의 고려 승려로, 경전의 연구와 깨달음을 위한 수행을 함께 할 것을 주장하며 교단 통합 운동을 벌였다.

① 수선사를 중심으로 불교 개혁 운동을 펼쳤다.
② 인도와 중앙아시아를 순례하고 기행문을 남겼다.
③ 당에서 유학하고 돌아와 화엄 사상을 주장하였다.
④ 나무아미타불만 외우면 극락정토에 갈 수 있다고 하였다.
⑤ 천태종을 창시하여 교종의 입장에서 선종을 통합하였다.

6 (가), (나)에 들어갈 교육 기관을 옳게 연결한 것은?

고려는 과거제를 실시하여 유교적 소양을 갖춘 인재를 관리로 등용하였으며, 개경에는 [(가)], 지방의 주요 지역에는 [(나)]을/를 두어 유교 경전과 역사서를 가르쳤다.

	(가)	(나)		(가)	(나)
①	국학	경당	②	태학	경당
③	국자감	향교	④	주자감	향교
⑤	주자감	성균관			

7 (가)에 들어갈 내용으로 가장 적절한 것은?

○○●●●

▶ 지식 Q&A

성리학에 대해 알려 주세요.

▶ 답변하기

┗ 충렬왕 때 안향에 의해 고려에 소개되었어요.
┗ 이제현 등이 만권당에서 원의 유학자들과 교류하며 이해를 높였어요.
┗ _____ (가)

① 수선사를 조직해 개혁 운동을 펼쳤어요.
② 신진 사대부가 사상적 기반으로 삼았어요.
③ 국가의 안녕과 왕실의 번영을 기원하였어요.
④ 일상의 있는 그대로의 마음을 중시하였어요.
⑤ 서경이 길지이므로 천도해야 한다고 주장하였어요.

8 다음에서 설명하고 있는 역사서로 옳은 것은?

●●●●●

몽골과의 오랜 전쟁으로 많은 불교 사찰과 기록이 불타자 승려 일연이 우리 고유의 문화와 불교에 관한 내용을 담아 저술하였다.

① 사략   ② 동명왕편
③ 삼국사기   ④ 삼국유사
⑤ 제왕운기

9 다음 두 역사서의 공통점으로 옳은 것은?

○○●●●

• 삼국유사   • 제왕운기

① 고려 전기에 저술되었다.
② 신라 계승 의식이 반영되어 있다.
③ 불교 사관을 중심으로 서술되었다.
④ 우리 역사의 시작을 단군으로 보았다.
⑤ 유교의 합리주의 사관에 따라 집필되었다.

내공 **3** 　고려의 예술과 인쇄술의 발달

○○○●●

10 (가)에 들어갈 문화유산으로 적절한 것은?

문화유산 카드

(가)
• 국내에서 가장 큰 고려 시대 불상으로, 높이가 18m이다.
• 형식에 구애받지 않는 자유분방함이 특징이다.

①
▲ 금동 연가 7년명 여래 입상

②
▲ 서산 용현리 마애 여래 삼존상

③
▲ 하남 하사창동 철조 석가여래 좌상

④
▲ 안동 이천동 마애 여래 입상

⑤
▲ 논산 관촉사 석조 미륵보살 입상

11 다음 건축물에 대한 설명으로 옳은 것을 〈보기〉에서 고른 것은?

○●●●●

▲ 영주 부석사 무량수전

• 보기
ㄱ. 원의 영향을 받았다.
ㄴ. 배흘림기둥을 사용하였다.
ㄷ. 주심포 양식으로 지어졌다.
ㄹ. 기둥과 기둥 사이에도 공포가 있다.

① ㄱ, ㄴ   ② ㄱ, ㄷ   ③ ㄴ, ㄷ
④ ㄴ, ㄹ   ⑤ ㄷ, ㄹ

족집게 문제

12 교사의 질문에 대한 학생의 답변으로 가장 적절한 것은?

> 이 자기의 특징을 말해 봅시다.

① 당의 영향을 받아 만든 제품입니다.
② 백정이 사용하는 일상생활 도구였습니다.
③ 비색의 순청자라서 송에서 선호하였습니다.
④ 옻칠한 바탕에 자개를 붙여 무늬를 냈습니다.
⑤ 상감 기법으로 화려한 무늬를 넣은 청자입니다.

13 (가)에 들어갈 문화유산에 대한 설명으로 옳지 않은 것은?

역사 신문
○○○○. ○○. ○○

(가) 을/를 보관한 세계 유산 합천 해인사 장경판전

현재 이곳에는 81,000여 장의 대장경이 보관되어 있다. 장경판전은 세계 유일의 대장경판 보관용 건물로, 대장경이 상하지 않고 오래 유지될 수 있도록 설계되었다.

① 현존하는 가장 오래된 목판 인쇄물이다.
② 유네스코 세계 기록 유산으로 등록되었다.
③ 고려 목판 인쇄술의 높은 수준을 보여 준다.
④ 최씨 정권이 위기에서 벗어나고자 제작하였다.
⑤ 몽골의 침략을 물리치려는 염원을 담아 만들었다.

14 다음 역사서를 편찬한 저자를 쓰고, 밑줄 친 부분이 그 책에 실린 이유를 서술하시오.

> 신라의 박씨와 석씨는 모두 알에서 태어났으며, 김씨는 금궤에 들어 있다가 하늘로부터 내려왔다거나 혹은 금 수레를 타고 왔다고 하니, <u>이는 더욱 괴이하여 믿을 수 없다.</u>

15 밑줄 친 '금속 활자'가 인쇄술의 발달에서 갖는 의미를 목판 인쇄술과 비교하여 서술하시오.

> 이 책은 1377년에 금속 활자로 인쇄한 것으로, 현재 전하는 세계 최초의 금속 활자본이다. 대한 제국 시기에 프랑스로 반출되어 현재 프랑스 국립 도서관에 있다.

16 밑줄 친 '이 기법'의 명칭을 쓰고, '이 기법'에 대한 설명을 서술하시오.

> 왼쪽의 청자는 고려청자 중 <u>이 기법</u>으로 만든 청자를 대표하는 작품이다. 구름과 학의 무늬를 <u>이 기법</u>으로 표현하였다.

내공 점검

01 선사 문화와 고조선

1 밑줄 친 '○○○ 시대'에 대한 설명으로 옳은 것은?

> **역사 신문**   2019년 ○월 ○일
>
>
> ▲ 주먹도끼 (경기 연천)
>
> 2019 문화 관광 육성 축제, 2019 경기 관광 우수 축제로 선정된 제27회 연천 ○○○ 축제가 5월 3일~6일까지 연천 전곡리 유적에서 열린다. <u>○○○ 시대</u>에 대한 다양한 체험 및 공연·전시·관람 프로그램이 준비되어 있다고 한다.

① 간석기를 사용하였다.
② 청동으로 무기를 만들었다.
③ 가락바퀴를 이용하여 옷을 만들었다.
④ 동물을 숭배하는 신앙이 등장하였다.
⑤ 주로 사냥과 채집으로 식량을 구하였다.

2 (가)에 들어갈 대화로 가장 적절한 것은?

(가)

① 주먹도끼는 참 편리해.
② 우리 집에 비파형 동검이 있어.
③ 내일 또 고인돌을 만들러 가야 해.
④ 밭에 가서 곡물을 더 수확해 오자.
⑤ 우리 족장님의 청동 방울은 정말 멋져.

3 다음 설명에 해당하는 유물의 이름을 쓰시오.

> 이것은 청동기 시대 말부터 초기 철기 시대에 만들어졌다. 주로 한반도에서 출토되어 '한국식 동검'이라고 불린다. 거푸집도 함께 출토되어 한반도에서 독자적으로 청동기를 제작하였음을 알 수 있다.

4 다음 유적과 유물이 만들어진 시대에 대한 설명으로 옳지 <u>않은</u> 것은?

① 농기구는 주로 돌로 만들어 사용하였다.
② 사유 재산이 생기고 빈부의 차이가 커졌다.
③ 철제 무기를 이용하여 주변의 나라를 정복하였다.
④ 청동으로 거울과 방울 등 제사용 도구를 만들었다.
⑤ 많은 노동력을 동원할 수 있는 지배자가 등장하였다.

5 (가)에 들어갈 내용으로 가장 적절한 것은?

> 한이 중국을 통일하자 위만은 무리를 이끌고 연에서 고조선으로 망명하였다. 그는 세력을 키워 고조선의 준왕을 몰아내고 왕이 되었다. 이후, 고조선은 _____(가)_____

① 불교를 수용하였다.
② 옥저를 정복하였다.
③ 낙랑군을 멸망시켰다.
④ 철기 문화를 본격 수용하였다.
⑤ 영락이라는 연호를 사용하였다.

6 다음 법을 시행한 국가에 대한 설명으로 옳은 것은?

> 사람을 죽인 자는 바로 사형에 처하고, 남에게 상해를 입힌 자는 곡물로 배상하게 한다. 남의 물건을 훔친 자는 그 집의 노비로 삼으며, 속죄하려고 하는 자는 1인당 50만 전을 내야 한다.   – 반고, 『한서』

① 동맹이라는 제천 행사가 있었다.
② 가축의 이름을 딴 가들이 있었다.
③ 철기 문명을 바탕으로 건국되었다.
④ 읍군이나 삼로라는 군장이 다스렸다.
⑤ 상, 대부, 장군 등의 관직을 설치하였다.

7 (가)에 들어갈 말로 가장 적절한 것은?

우리 역사상 최초의 국가에 대해 이야기 해 보자.

삼국유사에 단군왕 검이 건국하였다고 기록되어 있어.

(가)

① 족외혼을 엄격히 지켰어.
② 낙랑과 왜에 철을 수출하였어.
③ 영고라는 제천 행사를 열었어.
④ 소도라는 신성 지역이 별도로 있었어.
⑤ 사회 질서 유지를 위한 8조법이 있었어.

02 여러 나라의 성장

8 다음 가상 일기의 밑줄 친 '나'가 살았던 나라에 대한 설명으로 옳은 것은?

> ○월 ○일
> 나는 그 산이 이웃 부족의 경계인지 모르고 들어 간 것인데 너무 억울하다. 아무리 읍군에게 억울 하다고 말해도 소용이 없구나. 우리 집 노비와 소, 말로 배상하는 수밖에.

① 첨성대를 만들었다.
② 칠지도를 왜에 보냈다.
③ 가들이 사출도를 다스렸다.
④ 과하마, 반어피가 특산물이었다.
⑤ 민며느리제의 혼인 풍습이 있었다.

9 부여의 풍습에 대한 옳은 설명을 〈보기〉에서 고른 것은?

> • 보기 •
> ㄱ. 매년 10월에 제천 행사를 열었다.
> ㄴ. 도둑질하면 12배로 배상하게 하였다.
> ㄷ. 소도라고 불린 신성 지역이 존재하였다.
> ㄹ. 왕이나 귀족이 죽으면 사람을 함께 묻었다.

① ㄱ, ㄴ   ② ㄱ, ㄷ   ③ ㄴ, ㄷ
④ ㄴ, ㄹ   ⑤ ㄷ, ㄹ

10 (가) 국가에 대한 설명으로 옳은 것은?

> (가) 에는 좋은 논과 밭이 없었으므로 부지런히 농 사를 지어도 식량이 충분하지 못하다. 10월에 지내는 제천 행사를 '동맹'이라고 한다. 사람들은 힘이 세고 전투에 익숙하여 옥저와 동예를 모두 복속하였다.

① 왕족의 성씨가 부여씨였다.
② 진한의 사로국에서 시작되었다.
③ 부족장들이 사출도를 다스렸다.
④ 한 무제의 침입으로 멸망하였다.
⑤ 혼인 풍습으로 서옥제가 있었다.

[11~12] 지도는 철기 문화를 배경으로 만주와 한반도에 등장 한 여러 나라의 위치를 표시한 것이다. 물음에 답하시오.

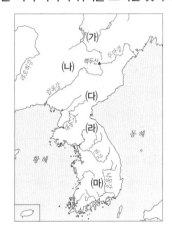

11 다음 풍습이 있었던 국가의 위치를 지도에서 옳게 고른 것은?

> 사람이 죽으면 시신을 임시로 묻어 두었다가 나중에 뼈 만 추려 곽에 넣는데, 식구를 하나의 곽 속에 넣어 둔다.

① (가)   ② (나)   ③ (다)   ④ (라)   ⑤ (마)

12 (가)~(마)에 위치한 나라에서 볼 수 있었던 모습으로 가장 적절한 것은?

① (가) – 서옥에 거주하는 신랑
② (나) – 무천을 이끄는 군장
③ (다) – 제가 회의에서 발언하는 국왕
④ (라) – 낙랑과 왜에 철을 수출하는 상인
⑤ (마) – 제사 의식을 주관하는 천군

03 삼국의 성립과 발전

13 다음 역사적 사건의 결과로 옳은 것을 〈보기〉에서 고른 것은?

> 광개토 대왕은 백제를 공격해 아신왕의 항복을 받아 내고, 신라에 침입한 왜를 물리쳐 신라를 도왔으며 북으로 거란과 숙신을 쳤고 동부여를 복속시켰다.

• 보기 •
ㄱ. 금관가야가 쇠퇴하였다.
ㄴ. 백제가 웅진으로 천도하였다.
ㄷ. 신라가 고구려의 간섭을 받았다.
ㄹ. 신라가 한강 유역을 차지하였다.

① ㄱ, ㄴ   ② ㄱ, ㄷ   ③ ㄴ, ㄷ
④ ㄴ, ㄹ   ⑤ ㄷ, ㄹ

14 밑줄 친 '고고학적 증거'에 해당하는 유물이나 유적으로 옳은 것은?

> 백제는 부여와 고구려에서 내려 온 세력이 한강 유역의 토착 세력과 연합하여 건국하였다. 백제를 건국한 중심 세력이 고구려와 같은 계통의 집단이라는 것이 고고학적 증거로도 나타나고 있다.

①  ②  ③
④ ⑤

15 (가) 시기에 백제에서 있었던 사실로 옳은 것은?

백제 건국   웅진 천도   사비 천도   백제 멸망
(가)

① 불교가 수용되었다.
② 서기가 편찬되었다.
③ 22담로가 설치되었다.
④ 좌평 등 관등제가 마련되었다.
⑤ 성왕이 관산성에서 전사하였다.

[16~17] 다음은 신라 왕호의 변천 과정을 나타낸 것이다. 물음에 답하시오.

이사금 ➡ (가) ➡ 왕

16 (가)에 들어갈 왕호를 쓰시오.

17 (가)가 왕호였던 시기에 있었던 사실로 옳은 것은?
① 불교를 공인하였다.
② 상대등을 설치하였다.
③ 우산국을 정벌하였다.
④ 화랑도를 개편하였다.
⑤ 김씨가 왕위를 독점하였다.

18 (가)에 들어갈 왕의 업적으로 옳은 것은?

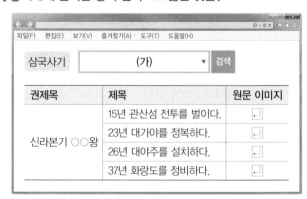

권제목	제목	원문 이미지
신라본기 ○○왕	15년 관산성 전투를 벌이다.	↵
	23년 대가야를 정복하다.	↵
	26년 대야주를 설치하다.	↵
	37년 화랑도를 정비하다.	↵

① 마한을 병합하였다.
② 태학을 설립하였다.
③ 평양으로 천도하였다.
④ 한강 유역을 차지하였다.
⑤ 병부와 상대등을 설치하였다.

19 다음 왕들의 공통된 업적으로 옳은 것은?

> • 소수림왕 • 침류왕 • 법흥왕

① 율령을 반포하였다.
② 태학을 설립하였다.
③ 독자적인 연호를 사용하였다.
④ 불교를 수용하거나 공인하였다.
⑤ 왕위의 부자 계승을 확립하였다.

20 지도는 어느 시기의 삼국의 형세를 나타낸 것이다. (가)와 (나)시기 사이에 있었던 사실로 옳은 것을 〈보기〉에서 고른 것은?

> • 보기 •
> ㄱ. 고구려가 평양으로 천도하였다.
> ㄴ. 신라가 한강 유역을 차지하였다.
> ㄷ. 백제와 신라가 동맹을 체결하였다.
> ㄹ. 백제가 남부여라는 국호를 사용하였다.

① ㄱ, ㄴ   ② ㄱ, ㄷ   ③ ㄴ, ㄷ
④ ㄴ, ㄹ   ⑤ ㄷ, ㄹ

21 밑줄 친 '이 국왕'의 활동으로 옳은 것은?

 이 유물은 경주의 호우총에서 발견된 그릇으로, 밑바닥에 새겨진 글씨를 통해 <u>이 국왕</u>과 관련된 유물이라는 것을 알 수 있다.

① 진대법을 실시하였다.
② 낙랑군을 멸망시켰다.
③ 평양으로 도읍을 옮겼다.
④ 단양 신라 적성비를 세웠다.
⑤ 신라에 침입한 왜를 격퇴하였다.

22 지도는 가야 연맹을 표시한 것이다. (가), (나) 국가에 대한 설명으로 옳은 것을 〈보기〉에서 고른 것은?

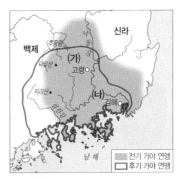

> • 보기 •
> ㄱ. (가) – 전기 가야 연맹을 이끌었다.
> ㄴ. (가) – 신라 진흥왕에게 멸망당하였다.
> ㄷ. (나) – 중앙 집권 국가로 발전하였다.
> ㄹ. (나) – 철을 낙랑과 왜에 수출하였다.

① ㄱ, ㄴ   ② ㄱ, ㄷ   ③ ㄴ, ㄷ
④ ㄴ, ㄹ   ⑤ ㄷ, ㄹ

04 삼국의 문화와 대외 교류

23 다음 설명에 해당하는 유물로 옳은 것은?

> 백제 석탑으로 우리나라에 현존하는 석탑 중 가장 크고 오래되었으며 목탑 양식을 간직하고 있다. 탑의 일부가 훼손되어 2001년부터 복원을 시작하였는데, 우리나라에서 단일 문화재로는 가장 긴 시간인 19년 동안 복원을 진행하였다.

①  ②  ③

▲ 황룡사 9층 목탑   ▲ 익산 왕궁리 5층 석탑   ▲ 익산 미륵사지 석탑

④  ⑤

▲ 부여 정림사지 5층 석탑   ▲ 경주 분황사 모전 석탑

24 (가)의 영향을 받아 제작된 유물이나 유적으로 옳은 것은?

> (가) 은/는 삼국 시대에 중국에서 전래되었으며, 산천 숭배나 불로장생을 추구하는 신선 사상과 결합하여 귀족 사회의 환영을 받았다.

①
②
③
④
⑤

25 다음 문화유산들이 제작된 이유로 옳은 것을 〈보기〉에서 고른 것은?

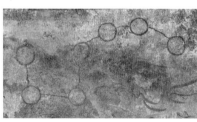 

▲ 고구려 덕흥리 고분 벽화 　　 ▲ 경주 첨성대

> • 보기 •
> ㄱ. 불로장생을 추구하였다.
> ㄴ. 농업을 발전시키려 하였다.
> ㄷ. 백성의 사상을 통합하고자 하였다.
> ㄹ. 천체 현상이 왕의 권위와 연결된다고 여겼다.

① ㄱ, ㄴ　　② ㄱ, ㄷ　　③ ㄴ, ㄷ
④ ㄴ, ㄹ　　⑤ ㄷ, ㄹ

26 다음 구조를 가진 무덤에 대한 설명으로 옳은 것을 〈보기〉에서 고른 것은?

> • 보기 •
> ㄱ. 신라에서 만들어졌다.
> ㄴ. 고분 벽화가 그려져 있다.
> ㄷ. 중국 남조의 영향을 받았다.
> ㄹ. 껴묻거리가 풍부하게 남아 있다.

① ㄱ, ㄴ　　② ㄱ, ㄹ　　③ ㄴ, ㄷ
④ ㄴ, ㄹ　　⑤ ㄷ, ㄹ

27 다음 문화유산을 남긴 나라에 대한 설명으로 옳은 것은?

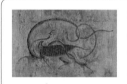
> 평안남도 강서군에 있는 강서대묘의 벽화로, 현무를 그린 그림이다. 현무는 도교의 세계관에서 북쪽을 지키는 방위신이다.

① 웅진으로 수도를 옮겼다.
② 한의 침략으로 멸망하였다.
③ 광개토 대왕릉비를 건립하였다.
④ 왕의 칭호로 마립간을 사용하였다.
⑤ 가축의 이름을 딴 관리들이 있었다.

28 다음 자료들을 모두 사용할 탐구 주제로 가장 적절한 것은?

① 백제와 왜의 교류
② 가야 문화의 일본 전파
③ 한국의 유네스코 세계 유산
④ 백제의 고분 문화와 껴묻거리
⑤ 중국 남조가 백제에 끼친 영향

01 선사 문화와 고조선

1 밑줄 친 '이 시대'의 생활에 대한 설명으로 옳은 것은?

> **역사 신문** △△△△년 △월 △일
>
> ### 금굴 유적 발굴
>
>  충청북도 단양군 금굴 유적에서 나온 여러 종류의 짐승 화석과 주먹도끼, 찍개 등의 뗀석기는 우리나라 이 시대의 문화를 이
>
> 해하고 복원하는 데 중요한 의미를 가지고 있다.

① 움집을 짓고 살았다.
② 철제 농기구를 만들었다.
③ 무리를 지어 이동 생활을 하였다.
④ 군장을 따라 다른 부족과 싸웠다.
⑤ 토기를 만들어 음식을 조리해 먹었다.

2 (가) 시대에 있었던 사실로 옳은 것은?

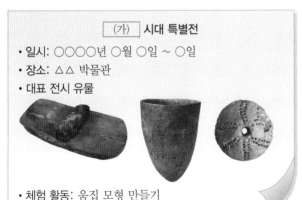

> (가) 시대 특별전
> • 일시: ○○○○년 ○월 ○일 ~ ○일
> • 장소: △△ 박물관
> • 대표 전시 유물
>
> • 체험 활동: 움집 모형 만들기

① 고인돌을 만들었다.
② 농경이 시작되었다.
③ 명도전이 사용되었다.
④ 세형 동검을 제작하였다.
⑤ 철제 농기구가 널리 사용되었다.

3 다음 유적을 남긴 사람들이 사용했을 만한 도구로 적절하지 <u>않은</u> 것은?

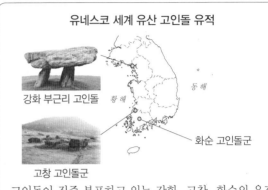

> 유네스코 세계 유산 고인돌 유적
>
> 강화 부근리 고인돌
> 동해
> 황해
> 화순 고인돌군
> 고창 고인돌군
>
> 고인돌이 집중 분포하고 있는 강화, 고창, 화순의 유적은 세계적으로 유례를 찾기 힘든 중요한 문화유산이다.

① 반달 돌칼 ② 청동 방울 ③ 슴베찌르개
④ 비파형 동검 ⑤ 거친무늬 거울

[4~5] 다음 자료를 읽고 물음에 답하시오.

> 환인(하늘의 신)의 아들 환웅이 하늘 아래에 뜻을 두고 인간 세상을 간절히 얻고자 하니, 환인이 아들의 뜻을 알고 아래의 삼위태백을 보자 널리 인간을 이롭게 할 만하였다. …… (환웅은) 풍백, 우사, 운사(각각 바람, 비, 구름을 다스리는 신하)와 함께 곡식, 수명, 질병, 형벌, 선악 등 인간 세상의 360여 가지의 일을 다스리게 하였다. 당시 곰 한 마리와 호랑이 한 마리가 같은 굴에 살았는데, 사람이 되고 싶어서 환웅에게 빌었다. …… 곰은 21일 동안 쑥과 마늘을 먹으며 햇빛을 보지 않는 것을 지켜 여자의 몸(웅녀)이 되었다. …… 환웅이 웅녀와 혼인하여 아들을 낳으니 이름을 단군왕검이라고 하였다. – 일연, (가)

4 위 자료에서 알 수 있는 사실을 〈보기〉에서 고른 것은?

> • 보기 •
> ㄱ. 제정이 분리된 사회였다.
> ㄴ. 부족 간의 연맹이 나타났다.
> ㄷ. 씨족 단위로 평등한 생활을 하였다.
> ㄹ. 특정 동물을 숭배하는 신앙이 있었다.

① ㄱ, ㄴ   ② ㄱ, ㄷ   ③ ㄴ, ㄷ
④ ㄴ, ㄹ   ⑤ ㄷ, ㄹ

5 위 자료가 수록된 서적 (가)를 쓰시오.

6 밑줄 친 '이 국가'의 문화 범위를 확인할 수 있는 유적이나 유물로 옳은 것을 〈보기〉에서 고른 것은?

> 랴오닝 지방에서 농경을 바탕으로 독자적인 청동기 문화를 이룬 것을 토대로 건국된 이 국가는 기원전 4세기경에는 중국의 연과 맞설 정도로 성장하였다.

• 보기 •

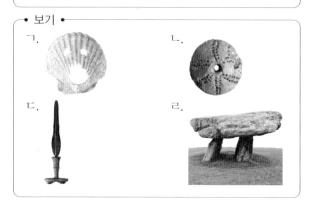

ㄱ. ㄴ. ㄷ. ㄹ.

① ㄱ, ㄴ ② ㄱ, ㄹ ③ ㄴ, ㄷ
④ ㄴ, ㄹ ⑤ ㄷ, ㄹ

02 여러 나라의 성장

7 다음 풍속이 있었던 나라에 대한 설명으로 옳은 것은?

> 5월이면 씨뿌리기를 마치고 귀신에게 제사를 지냈다. 떼를 지어 모여서 노래와 춤을 즐기며 술을 마시고 노는데, 밤낮을 가리지 않았다. 10월에 농사가 끝난 뒤에도 이렇게 하였다. — 「삼국지」 위서 동이전

① 고구려에 통합되었다.
② 혼인 풍속으로 서옥제가 있었다.
③ 압록강 중류 졸본 지방에서 건국되었다.
④ 신지, 읍차 등으로 불린 지배자가 있었다.
⑤ 마가, 우가, 저가, 구가 등이 사출도를 다스렸다.

8 (가)에 들어갈 용어로 옳은 것은?

> 12월에 하늘에 제사하고 나라 사람들이 도성에서 크게 모여 날마다 먹고 마시고 노래하고 춤추는데, 이를 (가) (이)라고 하였다. — 「삼국지」 위서 동이전

① 동맹 ② 서옥 ③ 소도
④ 솟대 ⑤ 영고

[9~11] 다음 자료를 읽고 물음에 답하시오.

1			
2	4		
3 제	가	회	의

가로열쇠
2. 가족이 공동으로 무덤을 쓰는 풍습이 있던 나라
3. (가)

세로열쇠
1. 고구려에서 (나)
4. 부여에서 여러 가의 명칭 중 돼지에서 따온 명칭

9 가로 2에 들어갈 정답을 쓰시오.

10 (가)에 들어갈 내용으로 가장 적절한 것은?

① 동예에서 거행하던 제천 의식
② 옥저에서 행해지던 매장 풍습
③ 신라에서 만장일치로 운영된 귀족 회의
④ 고구려에서 국가의 중대사를 결정하는 모임
⑤ 고조선에서 상, 대부, 장군이 모여 의논하던 기관

11 (나)에 들어갈 내용으로 가장 적절한 것은?

① 설립한 교육 기관
② 이루어지던 혼인 풍습
③ 빈민 구제를 위해 실시한 법
④ 남진 정책을 펼치며 천도한 곳
⑤ 한반도 중부까지 영토를 확장한 뒤 세운 비석

03 삼국의 성립과 발전

12 밑줄 친 부분이 전개된 시기를 다음 고구려 연표에서 옳게 고른 것은?

> 발달한 철기 문화와 해상 무역을 바탕으로 성장하여 맹주 역할을 했던 금관가야는 5세기에 고구려가 신라에 침입한 왜를 물리치는 과정에서 큰 타격을 입어 맹주로서의 지위를 상실하였다.

	(가)	(나)	(다)	(라)	(마)
고구려 건국	옥저 정복	진대법 시행	태학 설치	평양 천도	고구려 멸망

① (가) ② (나) ③ (다) ④ (라) ⑤ (마)

13 다음 사실을 활용할 만한 탐구 주제로 가장 적절한 것은?

> • ○○왕 15년(427) 수도를 국내성에서 평양으로 옮겼다.
> • ○○왕 63년(475) 군사 3만 명을 보내 백제의 수도 한성을 함락시켰다.

① 고구려의 위기
② 금관가야의 쇠퇴
③ 백제의 해상 교역
④ 신라 왕호의 변천
⑤ 고구려의 남진 정책

14 밑줄 친 '왕'에 대한 설명으로 옳은 것은?

왕이 관산성 전투 중 사망하셨다는군.

신라에 배신을 당한 것에 격노해서 출정했다가 그만 일을 당하셨다면서?

① 불교를 수용하였다.
② 순장을 금지하였다.
③ 고국원왕을 전사시켰다.
④ 만주의 대부분을 정복하였다.
⑤ 중앙에 22부의 관청을 설치하였다.

[15~16] 다음을 읽고 물음에 답하시오.

> 6세기 초 ___(가)___ 은/는 지방에 22담로를 설치하여 지방 통제를 강화하였다. 또한 중국 남조의 양과 우호 관계를 맺고 활발하게 교류하였다.

15 (가)에 들어갈 왕으로 옳은 것은?

① 성왕 ② 개로왕 ③ 고이왕
④ 무령왕 ⑤ 근초고왕

16 밑줄 친 부분의 내용을 뒷받침하는 유물이나 유적으로 옳은 것은?

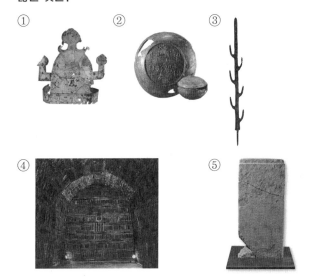

17 (가)에 들어갈 내용으로 가장 적절한 것은?

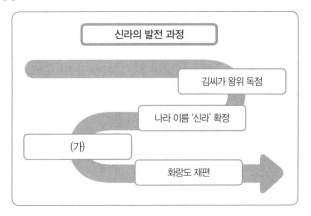

신라의 발전 과정

김씨가 왕위 독점

나라 이름 '신라' 확정

(가)

화랑도 재편

① 평양 천도
② 태학 설립
③ 금관가야 정복
④ 마립간 호칭 사용
⑤ 광개토 대왕릉비 건립

18 그림은 국가 발전 과정에서 등장한 국가의 형태들을 나타 낸 것이다. (가), (나) 형태에 대한 설명으로 옳지 <u>않은</u> 것은?

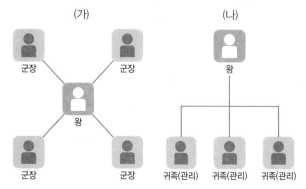

① (가)의 군장은 독자적인 정치권력을 유지하였다.
② 고구려, 백제, 신라는 (나) 형태로 건국되었다.
③ 가야는 (나) 형태의 단계에는 이르지 못하였다.
④ (가)보다 (나)의 왕권이 강하였다.
⑤ 국가는 (가)에서 (나)로 발전하였다.

19 삼국이 중앙 집권 국가로 발전하는 과정에서 나타난 사 실로 옳지 <u>않은</u> 것은?

① 불교가 수용되었다.
② 율령이 반포되었다.
③ 왕위의 부자 상속이 확립되었다.
④ 지배자가 죽으면 고인돌에 묻었다.
⑤ 부족장 세력이 귀족으로 흡수되었다.

20 (가)에 들어갈 내용으로 가장 적절한 것은?

답사 계획서

• 주제: [(가)   ]
• 모이는 곳: 서울 풍납동 토성 박물관 입구
• 답사 경로: 서울 풍납동 토성(백제의 첫 도읍지 위례성으로 추정됨) → 아차산 보루(고구려의 군사 시설임) → 서울 북한산 신라 진흥왕 순수비(신라 진흥왕이 영토 확장 후 세움)

① 중앙 집권 국가의 특징
② 백제 근초고왕의 영토 확장
③ 신라 진흥왕의 한강 유역 장악
④ 고구려 계통 유이민의 백제 건국
⑤ 한강 유역을 둘러싼 삼국의 경쟁

[21~23] 지도 (가)~(다)는 삼국의 시기별 형세를 나타낸 것 이다. 물음에 답하시오.

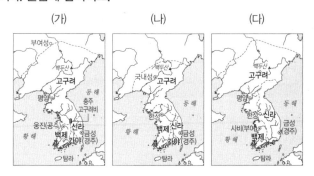

21 (가)~(다)를 시대순으로 옳게 나열한 것은?

① (가) - (나) - (다)   ② (가) - (다) - (나)
③ (나) - (가) - (다)   ④ (나) - (다) - (가)
⑤ (다) - (나) - (가)

22 (가)의 형세가 이루어진 시기의 사실로 옳은 것은?

① 백제의 수도는 한성이었다.
② 고구려는 율령을 반포하였다.
③ 신라는 왕을 이사금이라고 불렀다.
④ 가야는 금관가야가 연맹을 주도하였다.
⑤ 백제와 신라는 동맹을 맺고 고구려에 저항하였다.

23 (다)의 형세가 나타났던 시기의 신라에 대한 설명으로 옳 지 <u>않은</u> 것은?

① 국사를 편찬하였다.
② 율령으로 통치하였다.
③ 우산국을 지배하였다.
④ 중국과 직접 교류하였다.
⑤ 세 성씨가 왕위를 교대로 이었다.

04 삼국의 문화와 대외 교류

24 (가)에 들어갈 내용으로 옳은 것을 〈보기〉에서 고른 것은?

> **삼국 시대 불교 예술의 발전**
> 1. 신라
>   (1) 탑: 경주 분황사 모전 석탑
>   (2) 불상: 경주 배동 석조 여래 삼존 입상
> 2. 백제
>   (가)

> • 보기 •
> ㄱ. 황룡사 9층 목탑
> ㄴ. 부여 정림사지 5층 석탑
> ㄷ. 금동 연가 7년명 여래 입상
> ㄹ. 서산 용현리 마애 여래 삼존상

① ㄱ, ㄴ　　　② ㄱ, ㄷ　　　③ ㄴ, ㄷ
④ ㄴ, ㄹ　　　⑤ ㄷ, ㄹ

25 다음 문화유산들과 공통적으로 관계있는 사상·종교에 대한 설명으로 옳은 것을 〈보기〉에서 고른 것은?

> • 보기 •
> ㄱ. 왕권 강화를 뒷받침하였다.
> ㄴ. 당시 귀족 사회의 환영을 받았다.
> ㄷ. 신선 사상을 중심으로 형성된 신앙이다.
> ㄹ. 미륵사·황룡사 등의 거대 사찰이 세워졌다.

① ㄱ, ㄴ　　　② ㄱ, ㄷ　　　③ ㄴ, ㄷ
④ ㄴ, ㄹ　　　⑤ ㄷ, ㄹ

26 다음 유적의 이름을 쓰시오.

7세기에 신라에서 건립한 것으로, 천문 관측기구로 추정된다. 경주에 남아 있으며 독특한 모양과 구조로도 유명하다.

27 다음 역사서들이 편찬된 배경에 대한 설명으로 옳은 것은?

> • 신집 5권　　　• 서기　　　• 국사

① 도교가 유행하였다.
② 불교가 전래되었다.
③ 외세에 점령당하였다.
④ 중앙 집권 체제가 정비되었다.
⑤ 일본과 문화 교류를 활발히 하였다.

28 다음 유물이 출토된 고분의 무덤 양식에 대한 설명으로 옳은 것은?

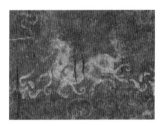

▲ 경주 천마총 장니 천마도

① 벽돌을 이용하여 만들었다.
② 백제 초기의 무덤 양식이다.
③ 삼국에서 공통적으로 만들어졌다.
④ 도굴이 어려워 많은 껴묻거리가 보존되었다.
⑤ 당시 생활 모습을 알려 주는 벽화가 그려져 있다.

29 다음 두 그림을 활용할 만한 탐구 주제로 가장 적절한 것은?

▲ 고구려 수산리　▲ 일본의 다카마쓰 고분
고분 벽화　　　　벽화

① 고구려 문화의 일본 전파
② 고구려와 서역의 문화 교류
③ 장수왕의 중국에 대한 외교
④ 아직기와 왕인의 일본에서의 활약
⑤ 신라에 침입한 왜를 격퇴한 광개토 대왕

01 신라의 삼국 통일과 발해의 건국

1 지도에 나타난 전쟁에 대한 설명으로 옳지 <u>않은</u> 것은?

① 고구려가 여러 차례 수의 침략을 물리쳤다.
② 을지문덕이 수의 군대를 살수에서 크게 무찔렀다.
③ 고구려는 천리장성을 쌓고 수의 침입에 대비하였다.
④ 고구려 원정으로 국력을 소모한 수는 결국 멸망하였다.
⑤ 고구려가 요서 지방을 공격하자 수가 고구려를 침략하였다.

2 (가)에 들어갈 내용으로 가장 적절한 것은?

① 요동 지방에서 당군과 싸웠습니다.
② 왕자 풍을 새로운 왕으로 받들었습니다.
③ 검모잠을 죽이고 신라로 망명하였습니다.
④ 매소성과 기벌포에서 당군을 격파하였습니다.
⑤ 장문휴를 보내 당의 산둥반도를 공격하였습니다.

3 (가)에 들어갈 국가명을 쓰시오.

> 대조영은 본래 [(가)]의 별종이다. …… ((가) , 말
> 갈) 무리를 이끌고 …… 동모산에 성을 쌓고 살았다.
> — 「구당서」

02 남북국의 발전과 변화

4 (가)에 들어갈 왕에 대한 설명으로 옳은 것은?

> 문무왕은 삼국을 통일한 뒤 부처의 힘을 빌어 왜구의
> 침입을 막고자 동해 근처에 절을 짓기 시작하였지만
> 절이 다 지어지기 전에 죽었다. 아들 [(가)]은/는 그
> 뜻을 이어 절을 완성하였고 절 이름을 문무왕의 은혜
> 에 감사한다는 뜻으로 감은사라고 하였다고 전한다.

① 국학을 설치하였다.
② 율령을 반포하였다.
③ 고구려를 멸망시켰다.
④ 한강 유역을 장악하였다.
⑤ 나라 이름을 신라로 정하였다.

5 (가), (나)에 들어갈 내용을 옳게 연결한 것은?

> **통일 후 신라의 통치 제도 정비**
> • 중앙 정치 제도: 집사부를 중심으로 운영
> • 지방 행정 제도: [(가)] 정비
> • 토지 제도: [(나)] 지급
> • 군사 제도: 9서당 10정 설치

	(가)	(나)
①	22담로	관료전
②	9주 5소경	녹읍
③	9주 5소경	관료전
④	5경 15부 62주	정전
⑤	5경 15부 62주	관료전

6 (가)에 들어갈 내용으로 가장 적절한 것은?

> 통일 후 신라의 중앙 정치는 왕명을 수행하는 집사부
> 를 중심으로 운영되었다. 그 결과 [(가)]

① 왕의 권력이 약화되었다.
② 시중의 권한이 강화되었다.
③ 상대등의 권한이 강화되었다.
④ 화백 회의의 기능이 강화되었다.
⑤ 중앙 정부의 통치력이 약화되었다.

7 (가)~(라)를 일어난 순서대로 옳게 나열한 것은?

> (가) 발해가 당의 산둥반도를 공격하였다.
> (나) 발해의 문왕은 당과 친선 관계를 맺었다.
> (다) 대조영이 지린성 동모산을 도읍으로 정하였다.
> (라) 발해가 연해주와 요동 지방까지 영토를 넓혔다.

① (가)-(나)-(다)-(라)　② (가)-(다)-(나)-(라)
③ (나)-(가)-(다)-(라)　④ (다)-(가)-(나)-(라)
⑤ (다)-(나)-(가)-(라)

8 (가)의 멸망 원인으로 옳은 것을 〈보기〉에서 고른 것은?

> • 보기 •
> ㄱ. 거란의 침략을 받았다.
> ㄴ. 나당 연합군의 공격을 받았다.
> ㄷ. 당이 흑수 말갈을 이용하여 견제하였다.
> ㄹ. 지배층의 권력 다툼으로 국력이 약해졌다.

① ㄱ, ㄴ　② ㄱ, ㄹ　③ ㄴ, ㄷ
④ ㄴ, ㄹ　⑤ ㄷ, ㄹ

9 다음 중앙 정치 제도에 대한 설명으로 옳지 않은 것은?

① 6부는 행정 실무를 담당하였다.
② 주자감에서 유학을 교육하였다.
③ 문적원에서 관리의 비리를 감찰하였다.
④ 당의 3성 6부제를 받아들여 조직하였다.
⑤ 3성은 당과 달리 정당성을 중심으로 운영하였다.

10 (가)에 들어갈 교사의 설명으로 적절한 것을 〈보기〉에서 고른 것은?

> • 신라의 쇠퇴
> 1. 정치적 동요
> 2. 농민의 봉기
> 3. 호족의 성장
> 4. 6두품의 사회 비판

밑줄 친 '호족'은 (가)

> • 보기 •
> ㄱ. 대부분 진골 귀족 출신이었어요.
> ㄴ. 스스로를 성주나 장군이라 불렀어요.
> ㄷ. 왕의 정치적 조언자로 성장하였어요.
> ㄹ. 지방의 군사와 행정을 장악하였어요.

① ㄱ, ㄴ　② ㄱ, ㄷ　③ ㄴ, ㄷ
④ ㄴ, ㄹ　⑤ ㄷ, ㄹ

11 다음 카드에서 설명하는 인물로 옳은 것은?

> **역사 인물 카드**
> • 신분: 6두품
> • 활동
> － 당에 유학하여 빈공과에 합격함
> － 황소의 난을 토벌해야 한다는 격문을 씀
> － 귀국하여 진성 여왕에게 개혁안을 제출함

① 궁예　② 양길　③ 김헌창
④ 장보고　⑤ 최치원

12 다음 상황이 나타난 시기를 연표에서 옳게 고른 것은?

> • 진성 여왕 3년(889) 주와 군에서 공물과 부세를 바치지 않아 나라의 창고가 텅 비고 …… 왕이 사자를 보내 독촉하니, …… 도적들이 벌 떼처럼 일어났다.
> • 진성 여왕 10년(896) 붉은 바지를 입은 도적이 경주 서남쪽에서 일어나 주와 현을 공격하고 모량리까지 이르러 민가를 약탈해 갔다.
> － 『삼국사기』

① (가)　② (나)　③ (다)　④ (라)　⑤ (마)

13 지도의 (가)에 대한 설명으로 옳은 것을 〈보기〉에서 고른 것은?

• 보기
ㄱ. 옛 백제의 부흥을 내세웠다.
ㄴ. 국호를 마진, 태봉 등으로 바꾸었다.
ㄷ. 서남해안 군진의 장교였던 견훤이 수립하였다.
ㄹ. 신라 왕족 출신으로 알려진 궁예가 수립하였다.

① ㄱ, ㄴ　　② ㄱ, ㄷ　　③ ㄴ, ㄷ
④ ㄴ, ㄹ　　⑤ ㄷ, ㄹ

 **03** 남북국의 문화와 대외 관계

14 다음 제도를 시행한 신라의 왕으로 옳은 것은?

국학 학생의 유교 경전 독해 능력을 시험하여 상·중·하로 등급을 매기고 이 성적을 관리 등용에 참고하였다.

① 무열왕　　② 문무왕　　③ 법흥왕
④ 신문왕　　⑤ 원성왕

15 다음 설명에 해당하는 신라의 문화유산으로 옳은 것은?

8세기 중반에 만든 두루마리 형식의 불경으로, 현존하는 세계에서 가장 오래된 목판 인쇄물이다. 경주 불국사 3층 석탑을 보수하기 위해 해체하는 과정에서 발견되었다.

① 화랑세기　　② 임신서기석
③ 왕오천축국전　　④ 신라 촌락 문서
⑤ 무구정광대다라니경

16 교사의 질문에 대한 학생의 답변으로 가장 적절한 것은?

신라 말에 이러한 승탑이 유행한 배경을 말해 봅시다.

① 불교가 공인되었습니다.
② 원효가 불교를 대중화하였습니다.
③ 의상이 신라 화엄종을 열었습니다.
④ 선종이 지방 사회에서 유행하였습니다.
⑤ 도선이 풍수지리설을 널리 보급하였습니다.

17 다음 문화유산들을 통해 알 수 있는 발해 문화의 특징으로 옳은 것은?

▲ 발해 토기　　▲ 발해 기와(치미)　　▲ 발해 기와(막새)

① 국제성을 가졌다.
② 불교 문화가 발달하였다.
③ 고구려 문화를 계승하였다.
④ 주로 당 문화의 영향을 받았다.
⑤ 말갈의 토착 문화를 흡수하였다.

18 (가)에 들어갈 국가로 옳은 것은?

발해는 여러 교통로를 정비하여 주변 나라와 교류하였다. (가) 와/과는 한때 대립하였으나 당과의 관계가 안정된 뒤 사신을 교환하였다. 동경에서 (가) 에 이르는 교통로를 설치해 교역하였다.

① 거란　　② 돌궐　　③ 신라
④ 인도　　⑤ 일본

01 신라의 삼국 통일과 발해의 건국

1 지도의 (가) 전투에 대한 설명으로 옳은 것은?

① 백제 성왕이 신라군에 맞서 싸우다 전사하였다.
② 을지문덕이 수의 별동대를 살수에서 격파하였다.
③ 백제를 지원하러 온 왜의 함선 대부분이 불에 탔다.
④ 신라가 승리하면서 당의 세력을 한반도에서 몰아냈다.
⑤ 안시성의 성주와 백성의 저항으로 당 태종이 물러갔다.

2 (가)~(마) 중 세 번째로 일어난 사건으로 옳은 것은?

> (가) 신라군이 황산벌에서 계백의 결사대를 물리쳤다.
> (나) 신라는 백제에 대야성 등 40여 개 성을 빼앗겼다.
> (다) 당이 신라의 제안을 받아들여 나당 동맹을 맺었다.
> (라) 나당 연합군이 고구려의 수도 평양성을 함락하였다.
> (마) 신라군이 매소성 전투에서 당의 군대를 격파하였다.

① (가) ② (나) ③ (다) ④ (라) ⑤ (마)

3 발해에 대한 설명으로 옳지 <u>않은</u> 것은?

① 대조영이 건국하였다.
② 고구려 계승 의식이 강하였다.
③ 다수의 말갈인이 지배층을 이루었다.
④ 주민 중에는 대씨뿐만 아니라 고씨도 많았다.
⑤ 남쪽에 있던 신라와 남북국의 형세를 이루었다.

02 남북국의 발전과 변화

4 (가)에 들어갈 인물에 대한 설명으로 옳은 것은?

> 7세기 중반, 신라는 백제의 공격을 받아 여러 성을 빼앗겼다. 위기에 처한 신라는   (가)   을/를 고구려로 보내 군사를 지원해 줄 것을 요청하였으나 거절당하였다.

① 삼국 통일을 완성하였다.
② 국학을 세워 유학을 보급하였다.
③ 황산벌에서 계백의 결사대를 물리쳤다.
④ 진골 출신으로는 처음으로 왕위에 올랐다.
⑤ 당에 유학을 다녀와 진성 여왕에게 개혁안을 올렸다.

5 (가)에 들어갈 사건으로 옳은 것은?

> **역사 인물 카드**
> • 가족: 아버지 문무왕
> • 주요 업적
>   –   (가)   을/를 진압함
>   – 국학을 설치하여 인재를 양성함

① 기벌포 전투 ② 김헌창의 난 ③ 김흠돌의 난
④ 장보고의 난 ⑤ 원종과 애노의 난

6 밑줄 친 '5소경'을 설치한 목적으로 가장 적절한 것은?

① 국방력을 강화하고자 하였다.
② 국가 재정을 튼튼히 하려고 하였다.
③ 상대등의 역할을 축소하려고 하였다.
④ 귀족의 경제 기반을 약화시키려고 하였다.
⑤ 수도가 동남쪽에 치우진 점을 보완하려고 하였다.

7 (가)에 들어갈 내용으로 가장 적절한 것은?

> **발해의 건국과 발전**
> • 대조영: 지린성 동모산 근처에서 발해 건국
> • 무왕: 장문휴를 앞세워 당의 산둥 지방 공격
> • 문왕: 당과 친선 관계를 맺고 당의 문물 수용
> • 선왕: ＿＿＿＿＿＿＿(가)＿＿＿＿＿＿＿

① 세력을 키운 거란의 침략을 받아 멸망
② 나당 전쟁을 승리로 이끌어 삼국 통일 완성
③ 영토를 넓혀 옛 고구려 영토의 대부분을 차지
④ 수도를 중경에서 상경으로 옮기고, 통치 제도를 정비
⑤ 김흠돌의 난을 진압하고 진골 귀족 세력을 대거 숙청

8 밑줄 친 '이 기구'에 해당하는 정치 기구로 옳은 것은?

> 발해는 당의 3성 6부제의 영향을 받아 중앙 정치 제도를 정비하였다. 당과 같이 3성 6부를 설치하였는데, 당과 달리 3성은 정책을 집행하는 이 기구를 중심으로 운영하였으며, 이 기구 아래에 6부를 두어 행정 실무를 담당하게 하였다.

① 문적원　　② 선조성　　③ 정당성
④ 중대성　　⑤ 중정대

9 다음 설명에 해당하는 국가의 지방 행정 제도에 대한 설명으로 옳지 <u>않은</u> 것은?

> 이 국가의 왕들은 건국 초부터 인안, 대흥, 건흥 등의 연호를 사용하여 당과 대등한 국가라는 의식을 보여주었다.

① 5경 15부 62주로 조직되었다.
② 정치·군사적 요충지에 5경을 두었다.
③ 지방 행정의 중심지에 15부를 두었다.
④ 15부 아래 주·현에 지방관을 파견하였다.
⑤ 촌락은 고구려 유민 출신의 수령이 다스렸다.

10 지도에 표시된 사건들이 일어난 배경으로 옳은 것을 〈보기〉에서 고른 것은?

> • 보기 •
> ㄱ. 삼국 통일 이후 왕권이 강력해졌다.
> ㄴ. 진골 귀족의 왕위 쟁탈전이 심해졌다.
> ㄷ. 지방에서 유력자의 수탈이 더욱 심해졌다.
> ㄹ. 6두품 세력이 왕의 정치적 조언자로 성장하였다.

① ㄱ, ㄴ　　② ㄱ, ㄷ　　③ ㄴ, ㄷ
④ ㄴ, ㄹ　　⑤ ㄷ, ㄹ

11 다음 설명에 해당하는 종교가 신라에서 유행한 시기에 나타난 사실로 옳지 <u>않은</u> 것은?

> 새로운 불교 종파로, 일상의 있는 그대로의 마음이 도이고, 그 마음이 부처라고 본다. 경전에 의지하지 않고 누구나 일상생활 속에서 내면의 진리를 발견할 수 있다고 가르쳤다.

① 풍수지리설이 유행하였다.
② 지방에서 호족이 성장하였다.
③ 전국 각지에서 농민이 봉기하였다.
④ 귀족의 경제 기반인 녹읍이 폐지되었다.
⑤ 왕권이 약해지고 정치적 혼란이 심해졌다.

12 다음 두 사상의 공통점으로 옳은 것은?

> • 선종　　　　　　• 풍수지리설

① 유학의 보급에 기여하였다.
② 왕권 강화에 도움이 되었다.
③ 신라 말에 유행한 불교 종파이다.
④ 진골 귀족에게 큰 호응을 얻었다.
⑤ 지방 호족의 사상적 기반이 되었다.

03 남북국의 문화와 대외 관계

13 교사의 질문에 대한 학생의 답변으로 가장 적절한 것은?

이 말을 남긴 승려는 어떤 활동을 하였나요?

누구나 나무아미타불을 열심히 외우면 극락정토에 갈 수 있습니다.

① 부석사를 세웠어요.
② 이두를 정리하였어요.
③ 왕오천축국전을 저술하였어요.
④ 풍수지리설을 널리 보급하였어요.
⑤ 종파 간 사상적 대립의 해결에 힘썼어요.

14 (가)에 들어갈 내용으로 가장 적절한 것은?

역사 신문   1995년 ○월 ○일

    (가) , 드디어 세계 유산으로 등재

화강암으로 만든 돔 형태의 인공 석굴 사원으로 중앙의 본존상을 비롯한 여러 조각은 불교 조각의 최고 경지를 보여 준다. 내부 구조와 본존상에는 정밀한 수학 지식이 적용되었다. 이제 세계 유산으로 등재됨으로써 훼손 방지와 영구 보존을 위한 기술 및 재정 지원을 받을 수 있고 인류 공동의 문화유산임을 인정받게 되었다.

① 유일한 발해 탑인 영광탑
② 예술과 과학이 어우러진 석굴암
③ 불교의 이상 세계가 구현된 불국사
④ 고구려 불상의 영향을 받은 이불병좌상
⑤ 비천상의 조각이 아름다운 성덕 대왕 신종

15 다음 책을 저술한 인물을 쓰시오.

다섯 천축국을 순례하며 4년 동안 보고 들은 내용을 기록한 책이다.

16 (가)에 들어갈 내용으로 적절하지 않은 것은?

발해는 고구려를 계승한 나라인 만큼 고구려 문화의 전통이 강하였어.

맞아. (가) 은/는 발해가 고구려 문화를 계승하였다는 사실을 잘 보여 주고 있어.

① 치미   ② 온돌 유적   ③ 이불병좌상
④ 상경성의 구조   ⑤ 정혜 공주 묘 내부의 천장

17 밑줄 친 '이것'에 해당하는 국가나 민족으로 옳은 것은?

1. 융합적인 발해 문화
■ 발해의 삼채

이것의 삼채 기법을 받아들여 세 가지 유약을 발라 색을 입혔다.

① 당   ② 왜   ③ 거란
④ 말갈   ⑤ 고구려

18 (가), (나)의 대외 교류에 대한 설명으로 옳지 않은 것은?

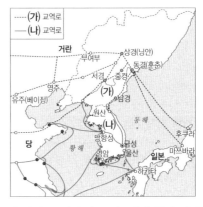

① (가) - 일본에 모피, 인삼 등을 수출하였다.
② (가) - 승려와 학생을 당에 보내 선진 문물을 들여왔다.
③ (나) - 울산항에 아라비아 상인도 왕래하였다.
④ (나) - 나당 전쟁 후 줄곧 당과 교류하지 않았다.
⑤ (가), (나) - (가)는 신라도를 통해 (나)와 교류하였다.

01 고려의 건국과 정치 변화

1 다음과 같은 역사적 의의가 있는 사건으로 옳은 것은?

> • 새로운 민족 문화를 발전시킬 토대를 마련하였다.
> • 신라와 후백제뿐만 아니라 발해 유민까지 받아들여 민족의 재통합을 이루었다.

① 고려의 건국
② 무신 정권의 성립
③ 신라의 삼국 통일
④ 고려의 후삼국 통일
⑤ 공민왕의 개혁 정치

2 다음 교훈을 남긴 왕의 활동으로 옳지 <u>않은</u> 것은?

> 제1조 불교의 힘으로 나라를 세웠으므로, 사찰을 세우고 주지를 파견하여 불도를 닦도록 할 것
> 제5조 서경을 중요시할 것 　　　　　　　　 – 「고려사」

① 과거제를 도입하였다.
② 발해 유민을 포용하였다.
③ 북진 정책을 추진하였다.
④ 사심관 제도를 실시하였다.
⑤ 유력 호족과 혼인 관계를 맺었다.

3 다음 정책을 추진한 목적으로 옳은 것은?

> 광종 7년에 노비를 조사하여 옳고 그름을 밝히도록 명하였다. 　　　　　　　　　　　　　 – 「고려사절요」

① 호족 세력을 견제하려고 하였다.
② 민족의 재통합을 이루려고 하였다.
③ 관리의 위계질서를 세우려고 하였다.
④ 고구려의 옛 땅을 되찾으려고 하였다.
⑤ 유교를 통치 이념으로 삼으려고 하였다.

4 다음 업적을 세운 왕에 대한 설명으로 옳은 것은?

> 고려는 당의 3성 6부 제도를 고려의 실정에 맞게 고쳐 2성 6부 중심의 중앙 정치 기구를 마련하였다.

① 평양을 서경으로 삼았다.
② 12목에 관리를 파견하였다.
③ 공복 색깔을 새롭게 정하였다.
④ 유력 호족과 혼인 관계를 맺었다.
⑤ 광덕, 준풍 등의 연호를 사용하였다.

5 (가)에 들어갈 고려의 중앙 정치 기구로 옳은 것은?

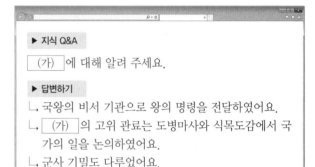

> ▶ 지식 Q&A
> 　(가) 에 대해 알려 주세요.
> ▶ 답변하기
> └ 국왕의 비서 기관으로 왕의 명령을 전달하였어요.
> └ (가) 의 고위 관료는 도병마사와 식목도감에서 국가의 일을 논의하였어요.
> └ 군사 기밀도 다루었어요.

① 삼사
② 상서성
③ 어사대
④ 중추원
⑤ 중서문하성

6 지도의 지방 행정 조직을 갖춘 국가의 지방 행정 제도에 대한 설명으로 옳지 <u>않은</u> 것은?

① 5도에 안찰사를 파견하였다.
② 국경 지역에는 양계를 두었다.
③ 개경과 주변 지역을 경기라고 하였다.
④ 모든 군과 현에 지방관을 파견하였다.
⑤ 행정 실무는 지역의 향리가 담당하였다.

7 다음과 같이 주장한 세력에 대한 설명으로 옳은 것을 〈보기〉에서 고른 것은?

> 서경 지역은 풍수지리설에 의하면 대화세(크게 기운이 꽃피우는 형세)이니 만약 이곳에 궁궐을 세우고 수도를 옮기면 국가의 혼란을 막을 수 있습니다. 또한 금이 조공을 바치고 스스로 항복할 것이며 주변의 여러 나라가 모두 고개를 숙일 것입니다.　－「고려사」

> • 보기 •
> ㄱ. 무신 정변으로 집권하였다.
> ㄴ. 서경에서 반란을 일으켰다.
> ㄷ. 황제를 칭하고 연호를 사용할 것을 건의하였다.
> ㄹ. 금에 대한 사대를 통한 고려의 안정을 중시하였다.

① ㄱ, ㄴ　　　② ㄱ, ㄷ　　　③ ㄴ, ㄷ
④ ㄴ, ㄹ　　　⑤ ㄷ, ㄹ

8 다음 대화의 대상이 되는 인물을 쓰시오.

> 그는 이의민을 제거하고 권력을 잡았잖아.
> 교정도감을 설치하였어.
> 사병 집단인 도방을 확대하여 호위를 강화하였지.

02 　**고려의 대외 관계**

9 (가) 시기에 있었던 사실로 옳지 <u>않은</u> 것은?

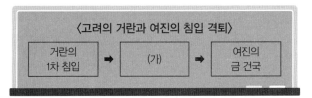

> 〈고려의 거란과 여진의 침입 격퇴〉
> 거란의 1차 침입 → (가) → 여진의 금 건국

① 묘청이 서경 천도를 주장하였다.
② 윤관이 동북 지방에 9성을 쌓았다.
③ 고려가 국경 지역에 천리장성을 쌓았다.
④ 강조가 목종을 몰아내고 현종을 즉위시켰다.
⑤ 고려군이 거란군을 귀주에서 거의 전멸시켰다.

10 (가)에 들어갈 국가에 대한 설명으로 옳은 것은?

> • 소손녕: 고려는 신라를 계승하였으므로 고구려 옛 땅은 우리 (가) 것이다.
> • 서희: 아니다. 우리가 바로 고구려의 후계자이다. 그러므로 나라 이름을 고려라고 한 것이다.

① 발해를 멸망시키고 강대국으로 성장하였다.
② 5대 10국의 혼란기를 끝내고 중국을 통일하였다.
③ 거란을 멸망시키고 고려에 사대 관계를 요구하였다.
④ 윤관이 동북 지방에 쌓은 9성을 돌려달라고 요구하였다.
⑤ 일본 원정을 준비하면서 고려에 배와 물자를 요구하였다.

11 (가)에 들어갈 인물로 옳은 것은?

> 인종이 관료들을 모아 금에 사대할 것을 물으니 모두가 거부하였으나, (가) 와/과 척준경이 "금은 거란과 송을 멸망시키고 날로 강대해지고 있으며, 우리와 국경을 맞대고 있습니다. 소국이 대국을 섬겨야 할 것입니다."라고 찬성하자, 그대로 따랐다.　－「고려사」

① 강감찬　　　② 이자겸　　　③ 정중부
④ 최승로　　　⑤ 최충헌

12 밑줄 친 '이 국가'에서 운영된 제도에 대한 설명으로 옳은 것을 〈보기〉에서 고른 것은?

> 예성강 입구의 벽란도는 국제 무역항으로 번성하였다. 벽란도를 통해 <u>이 국가</u>가 서방 세계에 알려졌고, '코리아'라는 이름도 세상에 널리 퍼졌다.

> • 보기 •
> ㄱ. 무신은 무과를 통해 선발하였다.
> ㄴ. 중앙군으로 9서당이 설치되었다.
> ㄷ. 고위 관료의 회의 기구가 존재하였다.
> ㄹ. 전시과에 따라 관리에게 수조권을 주었다.

① ㄱ, ㄴ　　　② ㄱ, ㄷ　　　③ ㄴ, ㄷ
④ ㄴ, ㄹ　　　⑤ ㄷ, ㄹ

03 몽골의 간섭과 고려의 개혁

13 지도의 (가) 군대에 대한 설명으로 옳은 것을 〈보기〉에서 고른 것은?

• 보기 •
ㄱ. 무신 정권의 군사적 기반이었다.
ㄴ. 기병, 보병, 승병으로 구성되었다.
ㄷ. 고려와 몽골 연합군에게 진압되었다.
ㄹ. 여진의 기병에 대항하기 위하여 편성되었다.

① ㄱ, ㄴ   ② ㄱ, ㄷ   ③ ㄴ, ㄷ
④ ㄴ, ㄹ   ⑤ ㄷ, ㄹ

14 (가)~(라)를 일어난 순서대로 옳게 나열한 것은?

(가) 강감찬의 귀주 대첩   (나) 삼별초의 대몽 항쟁
(다) 김윤후의 처인성 전투   (라) 윤관의 동북 9성 축조

① (가) – (나) – (다) – (라)   ② (가) – (다) – (나) – (라)
③ (가) – (라) – (다) – (나)   ④ (나) – (가) – (다) – (라)
⑤ (나) – (라) – (다) – (가)

15 지도의 (가) 영역에 대한 설명으로 옳은 것은?

① 공민왕 때 무력으로 되찾았다.
② 윤관이 동북 9성을 쌓은 곳이다.
③ 서희가 외교 담판으로 획득하였다.
④ 군사 행정 구역으로 병마사가 파견되었다.
⑤ 태조 왕건이 북진 정책을 추진하여 확보하였다.

16 판서와 같이 관제가 변화된 시기의 모습으로 옳지 않은 것은?

관제의 격하
• 중서문하성, 상서성 → 첨의부로 통합
• 중추원 → 밀직사
• 6부 → 4사

① 철령 이북에 쌍성총관부가 설치되었다.
② 문벌이 과거와 음서로 관직을 독점하였다.
③ 권문세족이 불법적으로 농장을 확대하였다.
④ 몽골식 복장과 음식 등 몽골풍이 유행하였다.
⑤ 환관과 공녀 등 많은 사람이 원으로 끌려갔다.

17 밑줄 친 '간악한 도당들'이 가리키는 정치 세력으로 옳은 것은?

요즘 들어 <u>간악한 도당들</u>이 남의 토지를 빼앗음이 매우 심하다. 그 규모가 한 주(州)보다 크기도 하고, 군(郡) 전체를 포함해 산천으로 경계를 삼는다. 남의 땅을 조상으로부터 물려받은 땅이라고 우기면서 주인을 내쫓고 땅을 빼앗는다. 한 토지의 주인이 대여섯 명이 넘기도 하니, 농민들은 세금으로 생산량의 8~9할을 내야 한다.
– 『고려사』

① 무신   ② 문벌   ③ 호족
④ 권문세족   ⑤ 신진 사대부

18 다음 정책에 따라 성장한 정치 세력에 대한 설명으로 옳지 않은 것은?

공민왕은 성균관을 정비하고 유학 교육을 강화하여 개혁을 뒷받침할 세력을 양성하였다.

① 대부분 하급 관리나 지방 향리의 자제였다.
② 명과 우호 관계를 유지할 것을 주장하였다.
③ 주로 음서를 통해 중앙 관직에 진출하였다.
④ 권문세족의 불법적인 농장 확대를 비판하였다.
⑤ 도덕과 명분을 중시하는 성리학을 공부하였다.

04 고려의 생활과 문화

19 다음을 통해 고려의 가족 제도에 대해 추론한 내용으로 가장 적절한 것은?

> 혼인하면 남자는 처가로 갑니다. 필요한 것을 다 처가에 의존하니, 장인·장모의 은혜가 부모와 같습니다.
> — 이규보, 『동국이상국집』

① 족보에 친손과 외손을 모두 기록하였다.
② 혼인 제도는 일부일처제가 일반적이었다.
③ 남편과 부인이 평등한 관계를 유지하였다.
④ 신랑은 주로 신부의 집에 가서 거주하였다.
⑤ 여성은 남편이 죽은 뒤에 호주가 될 수 있었다.

20 (가)에 들어갈 인물로 옳은 것은?

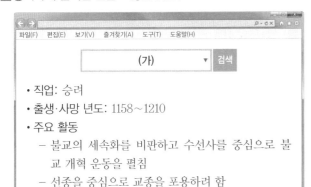

(가) 〔검색〕

- 직업: 승려
- 출생·사망 년도: 1158~1210
- 주요 활동
  - 불교의 세속화를 비판하고 수선사를 중심으로 불교 개혁 운동을 펼침
  - 선종을 중심으로 교종을 포용하려 함

① 원효　　　② 의상　　　③ 의천
④ 지눌　　　⑤ 혜초

21 다음에서 소개하고 있는 고려의 문화재로 옳은 것은?

> 무신 정권이 민심을 결집하고 대몽 항쟁을 효과적으로 수행하고자 제작하였습니다. 경판이 팔만 장이 넘고, 글자 수가 오천만 자가 넘지만, 오탈자가 거의 없을 정도로 정교합니다.

① 초조대장경　　　② 팔만대장경
③ 상정고금예문　　　④ 직지심체요절
⑤ 무구정광대다라니경

22 다음 역사서를 저술한 인물에 대한 설명으로 옳은 것은?

> 오늘날까지 남아 있는 가장 오래된 역사서로 인종의 명령에 따라 편찬되었다.

① 묘청의 반란을 진압하였다.
② 성종에게 시무 28조를 올렸다.
③ 고려에 성리학을 처음 소개하였다.
④ 9재 학당을 설립하여 제자를 양성하였다.
⑤ 고려 말에 새 왕조를 세워야 한다고 주장하였다.

23 (가)에 들어갈 문화유산으로 옳은 것은?

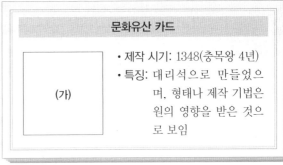

문화유산 카드

(가)

- 제작 시기: 1348(충목왕 4년)
- 특징: 대리석으로 만들었으며, 형태나 제작 기법은 원의 영향을 받은 것으로 보임

①
▲ 익산 미륵사지 석탑

②
▲ 경주 불국사 3층 석탑

③
▲ 경주 불국사 다보탑

④
▲ 평창 월정사 8각 9층 석탑

⑤
▲ 개성 경천사지 10층 석탑

01 고려의 건국과 정치 변화

1 (가)~(라)를 일어난 순서대로 옳게 나열한 것은?

> (가) 신라의 경순왕이 고려에 신라를 넘겨주었다.
> (나) 고려가 고창에서 후백제에게 대승을 거두었다.
> (다) 신하들이 궁예를 내쫓고 왕건을 왕으로 세웠다.
> (라) 견훤이 신검에게 왕위를 빼앗기고 고려에 투항하였다.

① (가) – (나) – (다) – (라) ② (가) – (나) – (라) – (다)
③ (나) – (다) – (라) – (가) ④ (다) – (나) – (가) – (라)
⑤ (다) – (나) – (라) – (가)

2 밑줄 친 '다양한 노력'에 해당하는 것을 〈보기〉에서 고른 것은?

> 태조는 지방에서 독자적인 세력을 유지하던 호족을 포섭하기 위해 다양한 노력을 기울였다.

• 보기 •
ㄱ. 북진 정책   ㄴ. 혼인 정책
ㄷ. 왕씨 성 하사   ㄹ. 민족 통합 정책

① ㄱ, ㄴ   ② ㄱ, ㄷ   ③ ㄴ, ㄷ
④ ㄴ, ㄹ   ⑤ ㄷ, ㄹ

3 다음 정책이 추진된 결과로 옳은 것은?

> 건국 직후부터 태조는 고구려 계승을 내세우며 고구려의 옛 땅을 되찾기 위해 북진 정책을 추진하였다.

① 양계에 병마사를 파견하였다.
② 압록강 동쪽의 강동 6주를 획득하였다.
③ 동북 지방에 9성을 쌓고 고려의 영토로 삼았다.
④ 쌍성총관부를 공격하여 동북쪽의 영토를 되찾았다.
⑤ 청천강에서 영흥만에 이르는 지역까지 영토를 확장하였다.

4 (가)에 들어갈 왕에 대한 설명으로 옳은 것은?

> 쌍기는 후주 사람으로, [(가)] 이/가 그의 재주를 아낀 나머지 후주 황제에게 표를 올려 그를 관료로 삼겠다고 요청한 후 발탁하여 관직에 임용하였다.   – 『고려사』

① 훈요 10조를 남겼다.
② 노비안검법을 실시하였다.
③ 사심관 제도를 실시하였다.
④ 개경에 국자감을 설치하였다.
⑤ 호족에게 왕씨 성을 내려 주었다.

5 다음 주장을 펼친 인물을 쓰시오.

> 불교를 믿는 것은 자신을 수양하는 근본이며, 유교를 행하는 것은 나라를 다스리는 근원입니다. 자신을 수양하는 것은 내세에 복을 구하는 일이며, 나라를 다스리는 것은 오늘의 급한 일입니다. 오늘은 아주 가까운 것이고, 내세는 지극히 먼 것입니다. 가까운 것을 버리고 먼 것을 구하는 것은 또한 그릇된 것이 아니겠습니까?
> – 『고려사』

6 지도의 (가) 지역에 대한 설명으로 옳은 것은?

① 일반 행정 구역으로 안찰사가 파견되었다.
② 주진군이 주둔하며 국방 경비를 담당하였다.
③ 태조가 북진 정책을 추진하여 확보한 영토이다.
④ 성종이 12목을 설치하고 지방관을 파견한 곳이다.
⑤ 공민왕이 쌍성총관부를 공격하여 되찾은 지역이다.

7 (가), (나)에 들어갈 고려의 중앙 정치 기구를 옳게 연결한 것은?

> (가) 에서는 주로 국방과 군사 문제를 논의하였고,
> (나) 에서는 제도와 시행 규칙을 제정하였다.

	(가)	(나)
①	중추원	어사대
②	중추원	중서문하성
③	도병마사	식목도감
④	식목도감	도병마사
⑤	중서문하성	상서성

8 (가)에 들어갈 내용으로 가장 적절한 것은?

① 의종을 폐위하였어.
② 서경에서 반란을 일으켰어.
③ 금의 사대 요구를 받아들였어.
④ 도방을 확대하여 호위를 강화하였어.
⑤ 신분 해방을 목적으로 봉기를 계획하였어.

9 (가)에 들어갈 인물로 가장 적절한 것은?

① 만적   ② 양길   ③ 김헌창
④ 망이·망소이   ⑤ 원종과 애노

02 고려의 대외 관계

10 지도의 (가) 지역을 고려가 획득하게 된 계기로 옳은 것은?

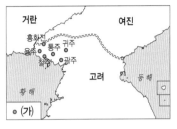

① 서희가 거란의 소손녕과 외교 담판을 벌였다.
② 윤관이 별무반을 편성하여 여진을 정벌하였다.
③ 장보고가 청해진을 설치하여 해적을 소탕하였다.
④ 태조가 고구려를 계승하여 북진 정책을 추진하였다.
⑤ 공민왕이 쌍성총관부를 공격하여 영토를 회복하였다.

11 (가)에 들어갈 내용으로 가장 적절한 것은?

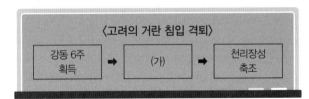

① 삼별초의 항쟁   ② 강감찬의 귀주 대첩
③ 윤관의 별무반 편성   ④ 몽골의 다루가치 설치
⑤ 이자겸의 금의 사대 요구 수용

12 다음 제도를 시행한 국가의 대외 교류에 대한 설명으로 옳은 것은?

> 관리를 18등급으로 나누어 곡식을 거둘 수 있는 전지
> (농토)와 땔감을 얻을 수 있는 시지(임야)의 수조권을
> 지급하였다.

① 낙랑과 왜에 철을 수출하였다.
② 울산항이 무역항으로 번성하였다.
③ 아라비아 상인이 벽란도에 들어왔다.
④ 청해진을 중심으로 해상 무역을 장악하였다.
⑤ 5경을 중심으로 각 나라로 가는 무역로를 정비하였다.

03 몽골의 간섭과 고려의 개혁

[13~14] 다음을 읽고 물음에 답하시오.

> 김윤후가 말하기를 "누구든지 힘을 바쳐 싸우면 높고 낮음을 가리지 않고 모두 벼슬을 주겠다. 내 말을 의심하지 말라."라고 하며 관노비의 장부를 불태우고 노획한 소와 말을 나누어 주었다. 이에 모든 사람이 힘을 합쳐 ___(가)___ 군을 물리쳤다.
>
> – 『고려사』

13 위 사실이 있었던 시기를 연표에서 옳게 고른 것은?

	(가)		(나)		(다)		(라)		(마)	
고려 건국		귀주 대첩		무신 정변		개경 환도		위화도 회군		고려 멸망

① (가) ② (나) ③ (다) ④ (라) ⑤ (마)

14 (가)의 침입에 대한 고려의 대응으로 옳지 <u>않은</u> 것은?

① 특수 행정 구역의 주민도 단결하여 저항하였다.
② 삼별초는 개경 환도를 거부하고 끝까지 항전하였다.
③ 최씨 정권은 항전을 준비하며 강화도로 천도하였다.
④ 개경에 나성을 쌓고 국경 지역에 천리장성을 쌓았다.
⑤ 몽골을 물리치려는 염원을 담아 팔만대장경을 제작하였다.

15 (가)에 들어갈 내용으로 가장 적절한 것은?

> **[역사 다큐멘터리 기획안]**
>
> 제목: ___(가)___
>
> • 주제
>   1부: 변발을 하고, 발립을 쓰고, 철릭을 입다
>   2부: 만두를 먹고, 소주를 마시다
>   3부: 수라, 무수리 등의 궁중 용어가 전래되다
> • 방영 희망 일자: 20○○년 ○월 ○일 ~ ○월 ○일 밤 10시

① 고려양의 전파 ② 몽골풍의 유행
③ 고려와 송의 교류 ④ 서역과의 문화 교류
⑤ 삼국 문화의 일본 전파

16 밑줄 친 '그'의 활동에 대한 설명으로 옳지 <u>않은</u> 것은?

> 14세기 중엽에 즉위한 <u>그</u>는 원이 급격히 쇠퇴하자 원의 간섭에서 벗어나 고려의 자주성을 회복하려 하였다. 또한 승려 신돈을 등용하여 내정 개혁을 추진하였다.

① 격하된 고려 왕실의 호칭과 관제를 복구하였다.
② 내정을 간섭하던 정동행성이문소를 폐지하였다.
③ 쌍성총관부를 공격하여 동북쪽의 영토를 되찾았다.
④ 권문세족이 빼앗은 토지를 원래 주인에게 돌려주었다.
⑤ 최영을 최고 사령관으로 삼아 요동 정벌을 추진하였다.

17 (가)에 들어갈 정치 세력에 대한 설명으로 옳은 것은?

> **고려 말 정치 세력 비교**
>
> | (가) | 신진 사대부 |
> |---|---|
> | • 대표적 인물: 기철, 이인임
• 특징: 친원적 성향을 보임, 주로 음서로 관직에 진출함 | • 대표적 인물: 정도전, 정몽주
• 특징: 명과 화친할 것을 주장, 성리학을 공부하고 과거에 급제함 |

① 중방을 통해 권력을 행사하였다.
② 공민왕의 개혁 과정에서 성장하였다.
③ 대부분 하급 관리나 지방 향리의 자제였다.
④ 백성의 토지를 빼앗아 대농장을 운영하였다.
⑤ 외적의 침입을 물리치며 백성의 신망을 얻었다.

18 (가), (나)에 들어갈 인물을 옳게 연결한 것은?

> 신진 사대부는 위화도 회군 이후에 고려 사회의 개혁 방법을 둘러싸고 분열하였다. ___(가)___ 등은 고려 전기의 제도를 회복하는 방식으로 사회 문제를 해결하자고 주장한 반면, ___(나)___ 등은 새 왕조를 세워야 한다고 주장하였다.

	(가)	(나)		(가)	(나)
①	기철	이인임	②	묘청	김부식
③	이자겸	정지상	④	정몽주	정도전
⑤	정중부	최충헌			

04 고려의 생활과 문화

19 다음 글을 토대로 고려의 가족 제도에 대해 추론한 것으로 적절하지 <u>않은</u> 것은?

> 고려에서 가족과 친족은 성별이나 혼인 여부와 관계없이 각자의 혈연이 중심이었다.

① 호적에 태어난 순서대로 적었다.
② 여성은 이혼을 요구할 수 없었다.
③ 아들과 딸이 평등한 관계를 유지하였다.
④ 족보에 친손과 외손을 모두 기록하였다.
⑤ 사위도 아들과 함께 음서의 대상이 되었다.

20 다음 주장을 펼친 인물의 활동으로 옳은 것은?

> • 승려 본연의 자세로 돌아가 불경, 수행, 노동에 고루 힘쓰자.
> • 깨달음을 수행하는 선종과 지혜를 수행하는 교종은 결국 같은 것이다.

① 불교의 대중화에 힘썼다.
② 기행문인 왕오천축국전을 남겼다.
③ 송에서 돌아와 천태종을 창시하였다.
④ 부석사를 비롯해 많은 사원을 건립하였다.
⑤ 수선사를 중심으로 불교 개혁 운동을 펼쳤다.

21 (가)에 대한 설명으로 옳은 것은?

> 제왕이 장차 일어날 때에는 반드시 하늘의 명을 받게 된다. 때문에 보통 사람과는 다른 점이 있기 마련이다. 삼국의 시조는 모두 신비스럽게 나왔으니 어찌 괴이할 것이 있겠는가? – 일연, (가)

① 동명왕의 업적을 칭송한 영웅 서사시이다.
② 지금까지 전하는 가장 오래된 역사서이다.
③ 유교의 합리주의 사관에 따라 서술하였다.
④ 처음으로 단군의 건국 이야기를 기록하였다.
⑤ 고려가 고구려를 계승하였다는 의식을 드러냈다.

22 다음 석탑이 만들어질 당시의 모습으로 옳은 것을 〈보기〉에서 고른 것은?

◀ 개성 경천사지 10층 석탑

> **보기**
> ㄱ. 고려 왕의 시호는 충○왕이었다.
> ㄴ. 문벌이 왕실과의 혼인을 독점하였다.
> ㄷ. 권문세족이 불법적으로 농장을 확대하였다.
> ㄹ. 일부 신진 사대부가 새 왕조 개창을 주장하였다.

① ㄱ, ㄴ ② ㄱ, ㄷ ③ ㄴ, ㄷ
④ ㄴ, ㄹ ⑤ ㄷ, ㄹ

23 (가)에 들어갈 내용으로 가장 적절한 것은?

(가)

> 1372년에 백운 화상이라는 승려가 여러 불교 경전의 법문, 고승이 남긴 말을 모아 만든 책을, 1377년에 제자들이 청주 흥덕사에서 쇠를 부어 만든 글자로 인쇄하여 배포한 것이다.

① 단군의 건국 이야기를 처음 기록한 삼국유사
② 현재 전해 오는 가장 오래된 역사서 삼국사기
③ 유네스코 세계 기록 유산에 등재된 팔만대장경
④ 세계에서 가장 오래된 금속 활자본 직지심체요절
⑤ 세계에서 가장 오래된 목판 인쇄물 무구정광대다라니경

01 선사 문화와 고조선

1 다음 유물이 처음 제작되어 사용된 시대를 쓰고, 당시 주거 생활에 대해 서술하시오.

_____

_____

_____

2 다음 토기가 사용되었던 시대 사람들의 생활 모습을 세 가지 서술하시오.

_____

_____

_____

3 다음 고조선의 건국 이야기를 통해 알 수 있는 당시 사회 모습을 세 가지 서술하시오.

> 환인(하늘의 신)의 아들 환웅이 하늘 아래에 뜻을 두고 인간 세상을 간절히 얻고자 하니, 환인이 아들의 뜻을 알고 아래의 삼위태백을 보자 널리 인간을 이롭게 할 만하였다. …… (환웅은) 풍백, 우사, 운사(각각 바람, 비, 구름을 다스리는 신하)와 함께 곡식, 수명, 질병, 형벌, 선악 등 인간 세상의 360여 가지의 일을 다스리게 하였다. 당시 곰 한 마리와 호랑이 한 마리가 같은 굴에 살았는데, 사람이 되고 싶어서 환웅에게 빌었다. …… 곰은 21일 동안 쑥과 마늘을 먹으며 햇빛을 보지 않는 것을 지켜 여자의 몸(웅녀)이 되었다. …… 환웅이 웅녀와 혼인하여 아들을 낳으니 이름을 단군왕검이라고 하였다. 단군왕검은 아사달에 도읍을 정하고 나라 이름을 조선이라고 불렀다. ─ 일연, 「삼국유사」

_____

_____

4 (가)에 들어갈 내용을 화면에 제시된 유물의 명칭이 포함된 문장으로 서술하시오.

한반도에서만 출토되는 '한국식 동검'이야.

거푸집도 함께 출토되어 (가) 라는 것을 알 수 있어.

_____

_____

_____

02 여러 나라의 성장

5 지도에서 (가)~(마)는 철기 문화를 배경으로 등장한 여러 나라를 표시한 것이다. 물음에 답하시오.

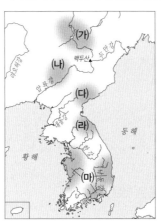

(1) (가), (나), (라)의 제천 행사의 명칭을 각각 쓰시오.

_____

(2) (가)~(마) 중 연맹 왕국에 도달하지 못한 두 국가의 기호와 이름을 쓰고, 이 국가들의 정치적 특징에 대해 서술하시오.

_____

_____

---

03 삼국의 성립과 발전

6 밑줄 친 부분에 해당하는 내용을 <u>세 가지</u> 서술하시오.

> 4세기 후반에 고구려 소수림왕은 전연과 백제의 침입으로 맞이하였던 <u>위기를 극복하고 사회를 안정시키기 위해 국가 체제를 다시 정비하였다.</u>

_____

_____

_____

7 지도와 같은 형세를 이룬 백제 왕의 이름을 쓰고, 그가 이 과정에서 전개한 활동을 <u>두 가지</u> 서술하시오.

_____

_____

_____

8 (가)에 들어갈 내용을 <u>두 가지</u> 서술하시오.

> **광개토 대왕의 활동**
>
> 1. 정복 활동
> (1) 백제 공격 → 한강 이북 지역 차지
> (2) 거란과 후연 격파 → 만주와 요동 지역 대부분 차지
> 2. 신라에 침입한 왜 격퇴
> (1) 계기: 왜의 공격을 받은 신라가 고구려에 도움 요청
> (2) 영향: (가)

_____

_____

9 다음 설명에 해당하는 단체의 명칭을 쓰고, 이 단체를 국가적 조직으로 재편한 왕의 활동을 <u>두 가지</u> 서술하시오.

> 청소년 단체로, 원광의 세속 5계를 지키며 무예를 익히고 몸과 마음을 단련하였다. 진골 귀족 출신의 화랑과 그를 따르는 낭도로 구성되었다.

_____

_____

---

04 삼국의 문화와 대외 교류

10 다음 표는 신라의 관등을 나타낸 것이다. 이 표를 보고 신라의 신분제가 갖는 특징을 조건에 맞춰 서술하시오.

등급	관등명	골품				복색
		진골	6두품	5두품	4두품	
1	이벌찬					자색
2	이찬					
3	잡찬					
4	파진찬					
5	대아찬					
6	아찬					비색
7	일길찬					
8	사찬					
9	급벌찬					
10	대나마					청색
11	나마					
12	대사					황색
13	사지					
14	길사					
15	대오					
16	소오					
17	조위					

> [조건]
> • 신라 신분제의 명칭을 언급한다.
> • 표에서 알 수 있는 사실을 포함한다.

_____

_____

_____

11 (가)에 들어갈 국가명을 쓰고, (나)에 들어갈 문장을 서술하시오.

 왼쪽 사진은 우즈베키스탄 사마르칸트에 있는 아프라시아브 궁전의 벽화 중 일부분이다. 사진에 표시된 인물들을 [(가)]식 관모와 칼을 착용한 것으로 보아 [(가)] 사신으로 추정하는데 이를 통해 _____ (나)

_____

_____

01 신라의 삼국 통일과 발해의 건국

1 밑줄 친 부분의 원동력을 두 가지 서술하시오.

> 고구려는 수와 당의 침입을 물리쳐 중국 중심의 국제 질서에 복속하지 않고 독자적인 세력을 유지하였다.

2 지도에서 알 수 있는 삼국 통일의 의의와 한계를 서술하시오.

3 다음 두 자료를 근거로 하여 발해 건국이 우리 역사에서 갖는 의의를 서술하시오.

> • 대조영은 본래 고려(고구려)의 별종이다. …… (고구려, 말갈) 무리를 이끌고 …… 동모산에 성을 쌓고 살았다. – 「구당서」
> • 부여씨가 망하고 고씨가 망하자 김씨는 남쪽을 차지했고, 대씨가 북쪽을 차지하고 이름을 발해라고 하였는데 이것이 남북국이다. 그러니 마땅히 남북국사가 있어야 하는데 고려가 이를 쓰지 않았으니 잘못이다. – 유득공, 「발해고」

02 남북국의 발전과 변화

4 (가), (나)에 알맞은 말을 쓰고, (나)의 특징을 (가)와 비교하여 서술하시오.

> 통일 이후 신라는 토지 제도를 정비하였다. 신문왕은 관리에게 (가) 을/를 지급하고, 귀족의 중요한 경제 기반이던 (나) 을/를 폐지하였다.

5 (가)에 들어갈 정치적 변화 내용을 두 가지 서술하시오.

> 〈통일 이후 신라의 중앙 정치 제도 정비〉
> • 왕명을 수행하는 집사부를 중심으로 운영 → 장관인 시중의 권한 강화, _____(가)_____

6 (가)에 들어갈 군대의 명칭을 쓰고, 이 군대의 특징을 서술하시오.

> 통일 이후 신라는 군사 제도를 정비하여 중앙군으로 (가) , 지방군으로 10정을 두었다. 10정은 9주에 각각 1정씩 설치하고, 국경 지역인 한주에만 두 개의 정을 두었다.

7 다음 도표를 보고 발해의 중앙 정치 제도가 당의 영향을 받아 만들어졌지만 독자적인 제도로 여겨지는 이유를 두 가지 서술하시오.

* [ ]: 당의 관제

_____

_____

_____

8 다음 사건들이 신라의 중앙 정치와 지방 사회에 끼친 영향을 각각 서술하시오.

- 어린 나이에 즉위한 혜공왕이 진골 귀족들의 반란으로 피살되었다.
- 웅주 도독 김헌창이 아버지 김주원이 왕이 되지 못한 것에 불만을 품고 난을 일으켰다.
- 해상 활동으로 세력을 키운 장보고가 중앙의 왕위 다툼에 관여하여 반란을 일으켰다.

_____

_____

_____

_____

9 (가)에 들어갈 용어를 쓰고, (가) 세력이 신라 말에 정치 개혁을 주장한 이유를 서술하시오.

[(가)] 출신인 최치원은 당에 유학하여 빈공과에 합격하였고, 황소의 난을 토벌해야 한다는 격문을 써서 당에서 문장가로 이름을 떨쳤다. 그는 신라에 귀국하여 진성 여왕에게 개혁안을 올렸으나 진골 귀족들의 반대로 받아들여지지 않았다.

_____

_____

_____

03 남북국의 문화와 대외 관계

10 다음 유물과 관련된 불교 종파를 쓰고, 이 종파의 유행이 신라 사회에 끼친 영향을 서술하시오.

승려들은 스승을 깨달음을 얻는 부처와 같이 보아 스승의 사리나 유골을 모시는 승탑을 만들었다.

◀ 화순 쌍봉사 철감 선사 탑

_____

_____

11 다음 유물들을 통해 알 수 있는 발해 문화의 특징을 서술하시오.

▲ 발해의 막새   ▲ 발해의 삼채   ▲ 발해의 말갈식 토기

_____

_____

12 다음 유물을 통해 추론할 수 있는 신라의 대외 관계를 서술하시오.

◀ 원성왕릉 무인석

_____

_____

서술형 문제 〉 Ⅲ 고려의 성립과 변천

01 고려의 건국과 정치 변화

1 다음 왕의 명령과 관련된 제도의 명칭을 쓰고, 이 제도를 실시한 목적을 서술하시오.

본래 노비가 아니었는데, 노비가 된 사람들을 조사하여 양인으로 돌아가게 하라.

_____

_____

2 다음 개혁안이 고려에 끼친 영향을 <u>세 가지</u> 서술하시오.

제7조 임금께서 백성의 집집마다 가서 날마다 돌볼 수는 없습니다. 수령을 파견하여 백성을 돌보게 하십시오.
제13조 연등회와 팔관회를 줄여 백성이 힘을 펴게 하십시오.
제20조 불교를 믿는 것은 자신을 수양하는 근본이며, 유교를 행하는 것은 나라를 다스리는 근원입니다.
               – 『고려사』

_____

_____

_____

3 다음 판서 내용을 토대로 음서의 특징을 서술하시오.

〈고려의 관리 등용 제도의 대상〉
1. 과거: 원칙적으로 양인이면 응시 가능
2. 음서: 왕족, 공신의 후손, 5품 이상 고위 관리의 자손
3. 천거: 학식이나 덕행이 뛰어난 인재

4 다음 주장을 펼친 세력이 일으킨 사건의 명칭을 쓰고, 이 사건의 결과를 서술하시오.

서경 지역은 풍수지리설에 의하면 대화세(크게 기운이 꽃피우는 형세)이니 만약 이곳에 궁궐을 세우고 수도를 옮기면 국가의 혼란을 막을 수 있습니다. 또한 금이 조공을 바치고 스스로 항복할 것이며 주변의 여러 나라가 모두 고개를 숙일 것입니다.
               – 『고려사』

_____

_____

_____

5 다음 사건이 일어난 배경을 <u>세 가지</u> 서술하시오.

정중부, 이의방 등은 의종이 보현원에 숙박하자 정변을 일으켰다. 무신은 많은 문신을 살해하였으며, 의종을 폐위하고 의종의 동생을 국왕으로 세웠다.

_____

_____

_____

6 (가)에 들어갈 인물의 이름을 쓰고, 다음 자료와 관련 있는 사건의 의의를 서술하시오.

사노비였던 (가) 이/가 (개경의) 북산에 나무하러 가서 공사의 노비를 불러 모았다. 음모를 꾸미면서 말하기를 "무신이 집권한 이래 귀족과 고관이 천한 노비 가운데서 많이 나왔다. 장수와 재상의 씨가 따로 있는가? 때가 오면 아무나 할 수 있는 것이다."라고 하였다.
               – 『고려사』

_____

_____

02 고려의 대외 관계

7 다음 상황을 극복하기 위한 고려의 대책을, 제안한 사람을 포함하여 서술하시오.

> 12세기에 여진이 부족 중 하나인 완옌부를 중심으로 통합하면서 점차 세력을 키워 나갔다. 여진은 국경 지역을 자주 침략하였고, 고려는 기병이 강한 여진에 수차례 패하였다.

8 지도를 보고 당시 고려와 송이 우호 관계를 맺은 목적을 고려와 송의 입장에서 각각 서술하시오.

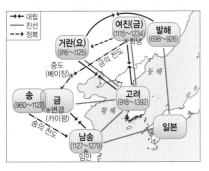

03 몽골의 간섭과 고려의 개혁

9 지도의 (가) 지역을 되찾은 고려의 왕이 실시한 반원 정책을 세 가지 서술하시오.

10 지도의 (가) 사건의 결과와 이 사건 이후 있었던 신진 사대부의 대립을 서술하시오.

04 고려의 생활과 문화

11 밑줄 친 '역사서'에 해당하는 역사서의 이름을 한 권만 쓰고, 그 역사서의 특징을 단군이라는 단어가 포함된 한 문장으로 서술하시오.

> 몽골의 침입과 원 간섭기를 겪으면서 고려에서는 자주의식을 담은 <u>역사서</u>가 편찬되었다.

12 다음 건물의 특징과 역사적 의미를 서술하시오.

▲ 영주 부석사 무량수전

MEMO

핵심만 빠르게~ 단기간에
내신 공부의 힘을 키운다

정답과 해설

중등 역사 2·1

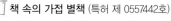

visang

ABOVE IMAGINATION

우리는 남다른 상상과 혁신으로
교육 문화의 새로운 전형을 만들어
모든 이의 행복한 경험과 성장에 기여한다

 정답과 해설

I 선사 문화와 고대 국가의 형성

01 선사 문화와 고조선

개념 확인하기   p. 9

1 (1) ㄹ (2) ㄷ (3) ㄴ (4) ㄱ   **2** 빗살무늬 토기, 덧무늬 토기 등
3 고인돌   **4** (1) × (2) ○ (3) ○ (4) ○   **5** 단군왕검
6 (1) 신석기 (2) 뗀석기 (3) 철기

족집게 문제   p. 10~11

1 ②   **2** ①   **3** ②   **4** ③   **5** ①   **6** ⑤   **7** 단군왕검   **8** ④
9 ④   [서술형 문제 10~11] 해설 참조

1 수행 평가 보고서의 조사 내용 중 주거와 도구는 구석기 시대 사람들의 생활과 관련이 있다. 구석기 시대의 사람들은 동굴, 바위 그늘에서 살거나 강가에 막집을 짓고 살았다. 도구는 돌을 깨뜨리거나 떼어 내서 만든 뗀석기를 사용하였다. 초기에는 찍개, 주먹도끼 등 하나의 석기를 다양한 용도로 사용하였으며, 후기에는 이전보다 작고 날카로운 형태의 슴베찌르개 등을 만들어 썼다.

2 밑줄 친 '이것'은 움집 유적에서 간석기와 함께 출토되었다는 점을 통해 신석기 시대의 유물임을 알 수 있다. 음식의 조리와 식량의 저장에 이용되었으며 겉면에 빗살무늬가 새겨져 있는 신석기 시대 유물은 빗살무늬 토기이다.
| 바로 알기 | ②는 여덟 개의 가지 끝에 방울이 달린 팔주령이다. 청동 방울 중 하나로 청동기 시대에 사용된 제사용 도구이다. ③은 청동기 시대에 농기구로 사용되었던 반달 돌칼이다. ④는 슴베찌르개로, 구석기 시대의 뗀석기 중 하나이다. ⑤는 신석기 시대에 곡식을 가는 데 사용되었던 갈돌과 갈판이다.

3 제시된 유물은 신석기 시대에 실을 잣는 데 사용되었던 가락바퀴이다. 신석기 시대 사람들은 농경과 목축을 시작하면서 정착 생활을 하였는데, 움집을 지어서 살았다.
| 바로 알기 | ①, ⑤는 청동기 시대. ③, ④는 구석기 시대의 생활 모습이다.

4 계급이 발생하고, 군장이 부족을 이끄는 지배자로 등장하였던 (가) 시대는 청동기 시대이다. 청동기 시대에는 지배층의 무덤으로 고인돌이 만들어졌다. 거대한 고인돌을 만들기 위해서는 많은 노동력이 필요하였다. 따라서 당시에 많은 노동력을 동원할 수 있는 강력한 지배자가 있었음을 짐작할 수 있다.
| 바로 알기 | ①은 신석기 시대. ②, ④, ⑤는 구석기 시대에 대한 설명이다.

5 구리에 주석, 아연 등을 섞어 만들었다는 것, 기원전 2000년경에서 기원전 1500년경에 만주와 한반도에 보급되었다는 점 등을 통해 밑줄 친 '이 도구'는 청동기임을 알 수 있다. 청동은 무기나 장신구, 제사용 도구 제작에 사용되었다. 농기구는 여전히 단단한 돌이나 나무로 만들었다.

| 바로 알기 | ② 주먹도끼는 뗀석기로, 구석기 시대에 사용된 도구이다. ③ 반달 돌칼은 간석기로 청동기 시대에 사용된 농기구이다. ④ 청동 거울은 생활 도구이면서 제사에서도 사용되었을 것으로 짐작된다. ⑤ 민무늬 토기는 청동기 시대에 만들어진 토기이다.

6 '널리 인간을 이롭게 할 만하였다'에서 홍익인간 이념, '풍백, 우사, 운사와 함께 곡식 ……'에서 농업 사회 형성, '환웅이 웅녀와 혼인 ……'에서 부족 간의 연맹, '곰 한 마리와 호랑이 한 마리 ……'에서 특정 동물을 숭배하던 신앙이 존재하였음을 알 수 있다.
| 바로 알기 | ⑤ 청동기 시대에는 계급이 발생하고, 군장이 등장하였다. 이를 바탕으로 우리 역사상 최초의 국가인 고조선이 건국되었다.

7 단군은 제사장, 왕검은 정치적 우두머리를 의미하는데, 이를 통해 단군왕검이 제정일치 사회의 지배자임을 알 수 있다.

8 고조선은 초기에는 랴오닝 지역을 중심으로 성장하였으나, 후기에는 한반도 북서부의 대동강 유역으로 그 중심지가 이동하였다. 이들 지역에는 고조선을 대표하는 유물인 비파형 동검과 탁자식 고인돌이 많이 분포하여 고조선의 문화 범위를 짐작하게 한다.
| 바로 알기 | ㄱ은 구석기 시대의 유물인 주먹도끼이다.

9 고조선의 준왕을 몰아내고 왕위를 차지한 것은 위만이다. 위만은 기원전 2세기경 진·한 교체기에 유이민 세력과 함께 고조선에 들어왔다. 위만이 집권한 후 고조선은 철기 문화를 본격적으로 수용하고, 중국의 한과 한반도 남쪽 나라들 사이에서 중계 무역으로 번영하였다.

서술형 문제

10 | 예시 답안 | 고인돌, 청동기 시대. 고인돌의 규모로 보아 청동기 시대에 많은 노동력을 동원할 수 있는 강력한 지배자가 등장하였음을 알 수 있다.

구분	채점 기준
상	고인돌과 청동기 시대를 쓰고, 고인돌을 통해 알 수 있는 사실을 옳게 서술한 경우
중	고인돌과 청동기 시대는 쓰지 못하였으나, 고인돌을 통해 알 수 있는 사실은 옳게 서술한 경우
하	고인돌과 청동기 시대만 쓴 경우

11 | 예시 답안 | 사람의 생명과 노동력을 중시하였고 사유 재산이 발생하였으며 농경 사회였다. (신분제 사회, 화폐 사용, 법률을 통해 사회 질서 유지 등)

구분	채점 기준
상	고조선의 사회 모습을 세 가지 이상 옳게 서술한 경우
중	고조선의 사회 모습을 두 가지만 옳게 서술한 경우
하	고조선의 사회 모습을 한 가지만 옳게 서술한 경우

02 여러 나라의 성장

개념 확인하기 p. 13

1 (1) ○ (2) ○ (3) × **2** (1) ㄴ (2) ㄹ (3) ㄷ (4) ㄱ **3** 연맹 왕국
4 (1) 민며느리제 (2) 소도 (3) 제가 회의 **5** (1) – ㉡ (2) – ㉢
(3) – ㉠

족집게 문제 p. 13 ~ 15

1 ② **2** ⑤ **3** ④ **4** 책화 **5** ⑤ **6** ⑤ **7** ③ **8** ④ **9** ①
10 ② **11** ④ **12** ② [서술형 문제 13~14] 해설 참조

1 기원전 5세기경에 만주와 한반도에 중국으로부터 철기가 전해졌다. 철은 청동보다 쉽게 구할 수 있었고 다루기 쉬워 여러 도구를 만들 수 있었다. 특히 철로 만든 농기구는 단단하고 날카로워 땅을 깊이 갈 수 있었다. 예리하고 튼튼한 철제 무기를 사용하면서 전쟁이 활발해졌다.
| 바로 알기 | ② 철기가 보급된 후에도 청동기는 제사용 도구나 장신구로 여전히 사용되었다.

2 명도전은 중국 전국 시대의 화폐로 한반도 중부와 북부 지역의 철기 시대 유적에서 많이 출토되고 있다. 중국 전국 시대에 사용된 화폐가 한반도의 철기 시대 유적에서 발견되는 점으로 미루어 보아 철기가 중국에서 한반도로 들어올 당시 한반도와 중국의 교역이 활발했음을 알 수 있다.

3 철은 청동보다 구하기 쉽고 단단해서 다양한 농기구나 무기로 만들 수 있었다. 철제 농기구가 사용되면서 개간이 활발해지고 농업 생산력이 늘어났다. 철기를 잘 다루는 집단은 철제 무기로 주변 지역을 정복·통합하면서 세력을 확장하여 국가로 성장하였다. 이러한 과정을 거쳐 만주와 한반도에서 여러 나라가 등장하였다.
| 바로 알기 | ㄱ. 우수한 철제 무기가 사용되면서 전쟁이 더욱 치열해졌다. ㄷ. 우리 역사상 최초의 국가인 고조선은 청동기 문화를 바탕으로 성립하였다.

4 다른 부족의 영역을 함부로 침범하면 노비나 소, 말 등으로 갚게 하는 동예의 풍습을 책화라고 한다.

5 제시된 자료의 책화라는 풍습이 있었던 국가는 동예이다. 동해안에 자리 잡은 동예는 소금과 해산물이 풍부하고 특산물로 단궁, 과하마, 반어피가 유명하였다. 또한 같은 씨족끼리는 혼인하지 않는 족외혼이 엄격하게 지켜졌으며, 10월에 하늘에 제사를 지내는 제천 행사로 무천을 열었다.
| 바로 알기 | ㄱ. 12월에 제천 행사를 열었던 곳은 부여이다. 부여는 영고라는 제천 행사를 거행하였다. ㄴ. 고조선이 멸망한 후 많은 유민이 한반도 남부 지역으로 내려와 철기 문화를 전파하였다. 이를 바탕으로 마한, 진한, 변한이 생겨났는데 이를 삼한이라고 한다.

6 고구려는 부여에서 이주한 집단과 압록강 유역의 토착 세력이 압록강 중류 일대 산악 지역의 졸본을 도읍으로 하여 건국한 연맹 왕국이었다. 왕 아래 상가, 고추가 등의 대가들이 있었고,

계루부를 비롯한 5부의 대가들이 제가 회의를 열어 국가의 중요한 일을 결정하였다. 혼인 풍습으로 서옥제, 형사취수제가 있었고, 매년 10월에 동맹이라는 제천 행사를 거행하였다.

7 민며느리제의 혼인 풍습이 있었고 고구려의 정치적 간섭을 받았던 나라는 옥저이다. 옥저에는 가족 공동 무덤을 만드는 장례 풍습이 존재하였다.
| 바로 알기 | ①은 부여에 대한 설명이다. ②와 ④는 고조선에 대한 설명이다. ⑤는 삼한에 대한 설명이다.

8 자료의 법을 만들어 집행하였던 나라는 부여이다. 부여에는 가축의 이름으로 관명을 정한 마가, 우가, 저가, 구가 등의 관리들이 있었다. 이는 목축이 발달하였던 부여의 특징이 반영된 것으로도 볼 수 있다.
| 바로 알기 | ①은 구석기 시대, 신석기 시대 등 선사 시대, ②는 삼한, ③은 고구려, ⑤는 고조선에 대한 설명이다.

9 삼한은 마한, 진한, 변한을 아울러 일컫는 말로, 마한의 목지국의 군장이 삼한을 대표하였다. 삼한 중 변한은 철이 풍부하여 덩이쇠를 화폐처럼 사용하기도 하였다. 삼한 지역은 기후와 토양이 농사를 짓기에 적합하여 농업이 발달하였다. 특히 물이 많이 필요한 벼농사를 지어, 곳곳에 저수지를 만들었다. 씨 뿌리는 5월과 추수하는 10월 두 차례에 걸쳐 제천 행사를 열었다.
| 바로 알기 | ① 고구려에 공물을 바친 것은 옥저와 동예이다. 옥저와 동예는 한반도 동해안에 치우쳐 있어 앞선 문화의 수용이 늦었고, 고구려에 복속되어 공물을 바치는 등 고구려의 간섭을 받아 강력한 나라로 성장하지 못하였다.

10 자료에서 설명하는 풍습은 서옥제이다. 혼인이 결정되면 신랑은 신부 집 뒤꼍에 지은 서옥에서 일정 기간 머물렀는데 이러한 서옥제의 풍습이 있었던 고구려는 압록강 중류 지역 (나)에서 성립하였다.
| 바로 알기 | (가)는 부여, (다)는 옥저, (라)는 동예, (마)는 삼한이 있었던 곳이다.

11 자료에서 설명하는 서옥제라는 결혼 풍습이 있었던 나라는 고구려이다. 초기 고구려는 5부가 연합하여 성립한 연맹 왕국으로, 왕과 5부의 대가들이 제가 회의에서 나라의 중요한 일을 결정하였다. 10월에 동맹이라는 제천 행사를 열었다.
| 바로 알기 | ㄱ. 삼한 중 낙동강 유역에 자리 잡은 변한은 철이 풍부하여 낙랑과 왜에 철을 수출하였다. ㄷ. 삼한은 마한 54개, 진한 12개, 변한 12개의 소국으로 구성되어 있었는데 삼한의 소국을 다스린 군장은 신지, 읍차라고 불렸다.

12 칠판의 판서 중에서 강원도 동해안 지역에 위치하였고 읍군, 삼로라고 불린 군장이 부족을 지배하였으며 책화, 족외혼 등의 풍습이 존재하였고 단궁, 과하마, 반어피가 특산물이었던 국가는 동예이다. 동예에서는 10월에 무천이라는 제천 행사가 열렸다.
| 바로 알기 | ①은 고구려에서 열린 제천 행사의 명칭이다. ③은 삼한의 신성 지역으로 군장의 권력이 미치지 못하여 죄인이 여기로 도망가면 잡아가지 못하였다. ④는 부여의 제천 행사 명칭이고, ⑤는 부여에서 마가, 우가, 저가, 구가 등의 제가들이 별도로 다스리던 곳이다.

13 | 예시 답안 | 부여. 부여는 여러 부족이 연합하여 성립한 연맹 왕국으로, 왕이 중앙을 다스리고 제가들이 각자의 영역을 다스렸다.

구분	채점 기준
상	부여라고 쓰고, 부여의 정치적 특징을 옳게 서술한 경우
중	부여라고 쓰지 못하였으나, 부여의 정치적 특징은 옳게 서술한 경우
하	부여라고만 쓴 경우

14 | 예시 답안 | 천군. 삼한은 제사와 정치가 분리된 사회였다.

구분	채점 기준
상	천군이라고 쓰고, 삼한 사회의 특징을 옳게 서술한 경우
중	천군이라고 쓰지 못하였으나, 삼한 사회의 특징은 옳게 서술한 경우
하	천군이라고만 쓴 경우

03 삼국의 성립과 발전

개념 확인하기   p. 18

1 (1) ○ (2) ○ (3) ○ (4) ×   **2** 칠지도   **3** (1) ㄷ (2) ㄱ (3) ㄹ (4) ㄴ   **4** 화랑도   **5** (1) 금관가야 (2) 무령왕 (3) 관산성
6 (1) – ② (2) – ⓒ (3) – ⓙ (4) – ⓛ

족집게 문제   p. 18~21

1 ④   **2** ②   **3** ③   **4** ⑤   **5** ④   **6** ⑤   **7** ③   **8** ②
9 ①   **10** ②   **11** ③   **12** ⑤   **13** ④   **14** ④   **15** ⑤   **16** ③
[서술형 문제 17~18] 해설 참조

1 고구려 고국천왕은 빈민을 구제하기 위해 진대법을 시행하였다. 생활이 어려운 백성에게 관청이 봄에 곡식을 빌려주고 추수 후에 돌려받는 제도였다.

2 제시된 자료의 ○○○왕은 소수림왕이다. 고구려는 4세기 고국원왕 때 선비족이 세운 전연의 침입으로 수도가 함락되는 피해를 입었다. 이어 백제군이 평양성을 공격하였는데 이때 고국원왕이 전사하며 국가적 위기를 맞았다. 이러한 상황에서 즉위한 소수림왕은 위기를 극복하고 사회를 안정시키기 위해 국가 체제를 정비하였다. 불교를 수용하여 사상을 통합하고, 태학을 세워 인재를 양성하였으며, 율령을 반포하여 통치 제도를 정비하였다.
| 바로 알기 | ①은 태조왕 때의 사실이다. ③, ④, ⑤ 5세기 고구려 장수왕은 평양으로 천도하고 남진 정책을 펼쳐 백제 한성을 함락하고 한강 유역을 차지하였다. 충주 고구려비는 고구려가 한반도 중부 지역까지 영역을 확장한 것을 보여 준다.

3 제시된 업적을 남긴 왕은 광개토 대왕이다. 광개토 대왕은 대대적인 정복 활동을 전개하여 한강 이북 지역, 만주와 요동 지역 대부분을 차지하였다. 또한 '영락'이라는 연호를 사용하여 고구려가 중국과 대등한 국가라는 자신감을 표현하였다. 당시 왜의 공격을 받던 신라는 고구려에 도움을 요청하였고, 광개토 대왕은 신라에 군대를 보내 신라를 침입한 왜를 물리쳤다.
| 바로 알기 | ①, ② 광개토 대왕릉비는 광개토 대왕의 아들인 장수왕이 아버지 광개토 대왕의 업적을 기리기 위해 세운 것이다. ④는 고국천왕에 대한 설명이다. ⑤는 고국원왕에 대한 설명이다.

4 자료로 제시된 충주 고구려비는 충주에 있는 고구려 비석으로, 고구려가 충주가 있는 한반도 중부 지역까지 영토를 확장하였음을 알 수 있다. 또한 이 비석에는 고구려가 태왕의 나라이며, 신라가 고구려에 복속되었고, 신라 왕과 신하에게 고구려가 고구려 관리의 옷을 나눠주었다고 기록되어 있다.
| 바로 알기 | ③은 광개토 대왕릉비에 기록되어 있다.

5 무령왕릉을 중국 남조의 무덤 양식을 본떠 만들고, 당시 중국에서 유행한 매장 풍속에 따라 진묘수를 넣었다는 것에서 당시 백제와 중국 남조의 문화 교류가 활발했음을 알 수 있다. 무령

정답과 해설

왕은 중국 남조 중 양과 우호 관계를 맺고 문화 교류에 힘썼다.
| 바로 알기 | ②는 제시된 유적과 유물인 무령왕릉과 진묘수에서는 알 수 없는 사실이다. ⑤는 서울 석촌동 고분에서 알 수 있는 사실이다. 백제의 초기 고분인 서울 석촌동 고분에는 내부와 외부를 모두 돌로 쌓아 만든 고구려식 무덤이 있다.

6 자료의 밑줄 친 '왕'은 근초고왕이다. 근초고왕은 고구려를 공격하여 황해도 일부를 장악하고 평양성 전투에서 고구려의 고국원왕을 전사시켰다. 백제의 근초고왕은 활발한 대외 활동을 벌여 마한 소국을 모두 통합하였다.
| 바로 알기 | ①은 신라 지증왕에 대한 설명이다. ②, ③은 백제 성왕에 대한 설명이다. ④는 신라 진흥왕에 대한 설명이다.

7 백제는 고구려 장수왕에게 수도 한성을 빼앗기고 웅진으로 수도를 옮기게 되었다. 이후 무역 활동이 침체되고, 귀족의 권력 다툼이 일어나 왕권이 약화되자 무령왕은 지방의 22담로에 왕족을 파견하여 지방 통제를 강화하고, 중국 남조의 양과 교류하는 등의 활동을 통해 국가의 위상을 회복하려 하였다.
| 바로 알기 | ① 백제는 마한의 소국들을 차례로 복속하며 세력을 확장하였고, 근초고왕 때에 마한의 남은 세력을 모두 통합하였다. ②, ⑤는 신라, ④는 고구려의 성장과 쇠퇴 과정에서 있었던 사건이다.

8 제시된 역사 인물 카드의 주인공은 성왕이다. (가)에는 성왕의 주요 업적이 들어가야 한다. 성왕은 수로 교통이 편리하고 평야 지대인 사비로 수도를 옮기고, 부여 계승 의식을 표방하여 한때 국호를 '남부여'라고 칭하였다. 또 중앙 관청과 지방 제도를 재정비하였다. 한편 고구려가 내분과 외침으로 국력이 약해진 틈을 타 신라와 함께 북진하여 잃어버린 한강 하류 지역을 되찾았다.
| 바로 알기 | ①은 고구려 소수림왕, 백제 침류왕. ③은 고구려 소수림왕. ④는 신라 법흥왕의 업적이다. ⑤는 고조선의 사실이다.

9 신라 초기에는 박씨, 석씨, 김씨가 돌아가며 '이사금' 자리를 차지하여 왕의 권력은 강하지 않았다. 신라는 4세기 중반에 낙동강 동쪽의 진한 소국을 대부분 복속하였고 왕의 권력도 점점 커졌다. 이에 내물왕 때에는 왕위를 김씨가 독점하고, 왕의 칭호가 대군장을 뜻하는 '마립간'으로 바뀌었다.

10 제시된 검색 결과 화면의 (가)에 들어갈 왕은 법흥왕이다. 지증왕의 뒤를 이어 즉위한 법흥왕은 병부를 설치하여 군사 지휘권을 체계화하였으며, 율령을 반포하여 왕권을 강화하였다. 또 불교를 공인하여 사상을 통합하고, 수상 역할을 하는 상대등을 설치하는 등 신라의 중앙 집권 체제를 강화하였다.
| 바로 알기 | ㄴ, ㄹ은 지증왕의 업적이다.

11 제시된 지도는 신라 진흥왕 순수비와 단양 신라 적성비를 표시한 것이다. 이 비석들은 진흥왕이 세운 것이다. 6세기 중반에 진흥왕은 안정된 통치 체제를 기반으로 영토를 확장하였다. 점령한 지역에는 영토 확장을 기념하는 비석을 세웠다.

12 제시된 지도는 4세기 백제 근초고왕의 영토 확장을 보여 주는 것이다. 4세기 중반에 고구려가 전연의 침입으로 흔들리는 사이에 백제가 빠르게 성장하였다. 백제의 근초고왕은 활발한 대외 활동을 벌여 마한 소국을 모두 통합하였다. 그리고 고구려를 공격하여 황해도 일부를 장악하고 평양성 전투에서 고구려

의 고국원왕을 전사시켰다.
| 바로 알기 | ①은 6세기 신라 법흥왕 때의 일이다. ②, ③ 5세기 고구려 장수왕의 평양 천도와 남진 정책으로 위기를 느낀 백제와 신라가 나제 동맹을 체결하였다. ④ 충주 고구려비는 고구려가 한반도 중부 지역까지 영역을 확장한 5세기 이후에 세워진 것으로 추정한다.

13 지도에는 고구려의 천도(국내성 → 평양)와 백제의 천도(한성 → 웅진)가 나타나 있다. 고구려 장수왕은 평양으로 천도한 후 적극적인 남진 정책을 펼쳤다. 고구려의 공격으로 백제는 한성을 함락당하고 웅진으로 천도하였다. 이후 고구려는 한반도 중부 지역인 남한강 일대까지 영역을 확장하였는데 이것을 보여 주는 비석이 충주 고구려비이다.

14 지도는 신라가 비약적으로 발전하며 영토를 확장하던 6세기의 형세를 나타내고 있다. 6세기 중반에 진흥왕은 가야 연맹을 정복하고 동해안을 따라 북상하여 고구려의 영토인 함흥평야까지 진출하였다. 당시 진흥왕은 내부적으로는 황룡사를 짓고 불교를 장려하여 국가의 정신적 통합을 꾀하는 한편, 화랑도를 국가적 조직으로 재편하여 인재를 양성하였다.
| 바로 알기 | ①은 4세기 근초고왕 때의 일이다. ②는 4세기 소수림왕 때의 일이다. ③ 전기 가야 연맹을 주도하던 금관가야는 5세기 초 광개토 대왕의 공격으로 쇠퇴하여 연맹의 주도권을 잃었다. ⑤는 신라 초기의 일로, 4세기 후반에 즉위한 내물왕 이후 김씨가 왕위를 독점하였다.

15 김해의 금관가야는 전기 가야 연맹을 주도하였으나, 5세기 초 고구려가 신라에 침입한 왜를 물리치는 과정에서 큰 타격을 입어 맹주로서의 지위를 잃었다. 금관가야가 쇠퇴하자 고령의 대가야가 후기 가야 연맹의 주도권을 장악하였다.

16 삼국이 성립할 무렵, 변한 지역에서는 작은 나라들이 연합하여 가야 연맹을 형성하였다. 전기 가야 연맹을 주도하던 금관가야는 5세기 초 고구려가 신라에 침입한 왜를 격퇴하는 과정에서 큰 타격을 입었다. 이에 전기 가야 연맹은 쇠퇴하였다. 이후 연맹의 주도권을 대가야가 차지하여 후기 가야 연맹이 성립하였다. 그러나 백제와 신라 양쪽의 압력을 받아 세력이 약해졌고, 마침내 가야는 신라에 멸망하였다.
| 바로 알기 | ③ 중앙 집권 국가로 나아가지 못하고 연맹 왕국 단계에 머무른 가야는 백제와 신라가 가야 영토로 진격해 오는 것을 막지 못하였다. 결국 가야 연맹은 신라에 의해 소멸되었다.

 **서술형 문제**

17 | 예시 답안 | 왕권이 강화되면서 왕위의 부자 상속이 확립되었고, 율령을 반포하여 국가를 통치하기 위한 규정을 마련하였으며, 불교를 수용하여 사상적 통합을 꾀하였다.

구분	채점 기준
상	왕위의 부자 상속 확립, 율령 반포, 불교 수용 등 세 가지를 모두 옳게 서술한 경우
중	왕위의 부자 상속 확립, 율령 반포, 불교 수용 등 중에서 두 가지만 옳게 서술한 경우
하	왕위의 부자 상속 확립, 율령 반포, 불교 수용 등 중에서 한 가지만 옳게 서술한 경우

 정답과 해설

18 (1) 호우명 그릇

(2) **| 예시 답안 |** 고구려 광개토 대왕이 신라에 군대를 보내 신라를 침입한 왜를 격퇴하였다. 이를 계기로 신라는 고구려의 정치적 간섭을 받게 되었다.

구분	채점 기준
상	고구려가 신라에 정치적 영향력을 행사하게 된 과정을 옳게 서술한 경우
하	고구려가 신라에 침입한 왜를 물리쳤다고만 서술한 경우

04 삼국의 문화와 대외 교류

개념 확인하기 p. 23

1 (1) ㄷ (2) ㄹ (3) ㄴ (4) ㄱ **2** 첨성대 **3** 골품제 **4** (1) ×
(2) ○ (3) ○ **5** (1) − ㉡ (2) − ㉠ (3) − ㉢ (4) − ㉣

족집게 문제 p. 24~25

1 ⑤ **2** ② **3** ① **4** 골품 **5** ⑤ **6** ② **7** (가) 굴식 돌방무덤,
(나) 돌무지덧널무덤 **8** ④ **9** ④ **10** ②
[서술형 문제 11~12] 해설 참조

1 삼국의 왕실이 불교를 적극 수용함에 따라 불교가 국가적 종교로 발달하면서 불교 예술이 발달하였다. 삼국은 사찰을 짓고, 탑을 세우고, 불상을 만들었다. ①은 서산 용현리 마애 여래 삼존상으로 백제의 불상이다. ②는 금동 연가 7년명 여래 입상으로 고구려의 불상이다. '연가'는 고구려의 연호로 추정된다. ③은 익산 미륵사지 석탑으로 백제의 탑이다. ④는 경주 분황사 모전 석탑으로 신라의 탑이다.
| 바로 알기 | ⑤는 강서 대묘의 현무도로, 동서남북 방위를 수호한다는 도교의 사신 중 북쪽을 지키는 현무를 그린 것이다. 이것은 도교의 영향을 받아 만들어진 고구려의 고분 벽화이다.

2 자료의 유물은 백제 금동 대향로이다. 이 향로에는 도교의 사상이 반영된 봉황, 산천과 동물뿐만 아니라 불교 사상이 반영된 연꽃 등도 표현되어 있다.
| 바로 알기 | ①은 경주 고분에서 출토된 유리그릇이나 경주 계림로 보검, ③은 신라 임신서기석 등에 해당하는 설명이다. ④는 신라의 돌무지덧널무덤에서 출토된 금관, 각종 장신구 등, ⑤는 일본의 다카마쓰 고분 벽화 등에 해당하는 설명이다.

3 삼국 시대 유학의 발전은 유학 교육 기관 설립, 유교 경전 학습 등을 통해 알 수 있다. 고구려에서는 수도에 태학을 세워 유교 경전과 역사를 가르쳤다. 백제에서는 오경박사가 유교 경전을 가르쳤다. 신라에서는 임신서기석에 기록된 내용을 통해 젊은 이들이 유교 경전을 공부하였음을 알 수 있다.
| 바로 알기 | ②는 백제와 왜의 긴밀한 정치적 관계를 탐구하는 주제이다. ③은 삼국 시대 천문학 발달을 탐구하는 주제이다. ④는 삼국 시대의 도교 사상의 유행을 탐구하는 주제이다. ⑤는 삼국 시대 불교 예술의 발전을 탐구하는 주제이다.

4 표의 (가) 아래에 있는 진골, 6두품, 5두품, 4두품은 신라의 골품 중 일부이므로 (가)에는 골품이 들어가야 한다. 즉, 제시된 표는 신라의 골품과 관등의 관계를 나타낸 것이다.

5 제시된 자료는 신라의 골품과 관등표로, 골품에 따라 진출할 수 있는 관등에 제한이 있었음을 알 수 있다. 신라에는 골품제라는 엄격한 신분제가 있어서 개인의 정치 진출뿐만 아니라 주거 규모 등 일상생활까지 제한하였다. 한편 표를 보면 이벌찬은 자색 관복을, 아찬은 비색 관복을 입는 것을 규정해 놓았는데, 이를 통해 관등에 따라 관복색이 달랐음을 알 수 있다.

| 바로 알기 | ㄱ. 골품제는 신라의 신분 제도이다. ㄴ. 골품제는 신라에서 중앙 집권적인 통치 체제가 정비되면서 마련되었다. 신라는 진한의 한 소국인 사로국에서 시작하였다. 이때는 연맹 왕국 단계였다.

6 삼국 시대 사람들의 신분은 왕족을 비롯한 귀족과 평민, 천민으로 구분되었다. 신분에 따라 의식주 생활 모습이 달랐는데, 고분의 껴묻거리나 고분 벽화를 통해 생활 모습을 알 수 있다.
| 바로 알기 | ② 평민은 대체로 초가집이나 귀틀집에서 살았고, 귀족이 대개 기와집에서 살았다.

7 (가)는 돌로 쌓아 만든 널방이 있고, 이를 입구에서 잇는 굴이 있는데, 이러한 구조의 무덤 양식을 굴식 돌방무덤이라고 한다. (나)는 나무 덧널을 만들고, 그것을 돌과 흙으로 덮었는데, 이러한 구조의 무덤 양식을 돌무지덧널무덤이라고 한다.

8 (가) 굴식 돌방무덤에서 널을 놓는 돌방 안의 천장과 벽에는 벽화를 그렸다. (나) 돌무지덧널무덤은 복잡한 구조로 되어 있어 도굴이 어려워 많은 껴묻거리가 보존되었다.
| 바로 알기 | ㄱ. 무령왕릉은 중국 남조의 무덤 양식의 영향을 받아 만들어진 벽돌무덤이다. ㄷ. 돌무지덧널무덤은 신라에서 만들어졌다. 가야에서는 구덩이에 돌로 벽을 쌓아 시신을 묻는 돌덧널무덤이 만들어졌다.

9 백제는 중국-가야-왜를 잇는 해상 교역로를 통해 중국 남조의 국가들 및 왜와 교류하였다. 고구려는 중국 남북조 여러 나라들뿐만 아니라 서역의 나라들과 교류하였다. 우즈베키스탄의 사마르칸트에 있는 아프라시아브 궁전 벽화에 고구려 사신이 그려진 것으로 보아, 당시 고구려가 이 지역에 있던 나라와 교류하였음을 알 수 있다.
| 바로 알기 | ㄱ. 신라는 지리적 한계로 고구려와 백제를 통해 중국 문화를 받아들이다가 한강 유역을 차지한 후 중국과 직접 교류하였다. ㄷ. 가야도 바다를 통해 중국과 교류하였다. 가야의 무덤에서 중국 계통의 유물들이 출토되었다. 스에키는 가야 토기의 영향을 받아 일본에서 제작된 토기이다.

10 (가) 고구려의 승려 혜자는 쇼토쿠 태자의 스승이 되었고, 담징은 종이와 먹의 제조 방법을 일본에 전하였다. (다) 가야는 철기 문화와 토기 제작 기술을 일본에 전하였다. 가야 토기가 일본 토기인 스에키의 바탕이 되었다.
| 바로 알기 | ㄴ은 백제에서 전해 주었다. (나)에는 신라의 조선술과 축제술이 해당한다. ㄹ은 신라에서 전해 주었다. (라)에는 백제의 아직기와 왕인이 전한 한문, 논어, 천자문 등이 해당한다.

서술형 문제

11 | 예시 답안 | 고구려는 고분 벽화로 별자리를 그리기도 하였고, 신라에서는 천문 관측기구인 첨성대를 만들었다.

구분	채점 기준
상	삼국 시대 천문학의 발달 사례 두 가지를 옳게 서술한 경우
하	삼국 시대 천문학의 발달 사례를 한 가지만 옳게 서술한 경우

12 | 예시 답안 | 제시된 유물은 모두 서역에서 만들어진 것으로 여겨진다. 경주 고분에서 서역의 유리 제품과 보검이 출토되는 것을 통해 당시 신라가 서역과 교류하였음을 알 수 있다.

구분	채점 기준
상	유물의 특징과 서역과의 교류 사실을 모두 옳게 서술한 경우
중	서역과의 교류 사실만 옳게 서술한 경우
하	유물의 특징만 옳게 서술한 경우

Ⅱ 남북국 시대의 전개

01 신라의 삼국 통일과 발해의 건국

개념 확인하기
p. 27

1 (1) ○ (2) × (3) ○   **2** (가) - (다) - (나) - (라)   **3** (1) 말갈
(2) 수 (3) 백제   **4** (1) - ② (2) - ⊙ (3) - © (4) - ⊙
5 (1) 대조영 (2) 고구려

족집게 문제
p. 28~29

1 ④   **2** 살수 대첩   **3** ②   **4** ③   **5** ③   **6** ④   **7** ③   **8** ①
9 ③   [서술형 문제 10~12] 해설 참조

1 제시된 지도는 6세기 후반 동아시아의 정세를 나타내고 있다. 당시에는 돌궐-고구려-백제-왜의 남북 세력과 수-신라의 동서 세력이 대립하였다.
　| 바로 알기 | ④ 백제는 5세기에 고구려 장수왕의 남진 정책의 영향으로 도읍을 한성에서 웅진으로 옮겼다.

2 을지문덕은 제시된 시를 통해 수의 장군 우중문에게 수군의 철수를 요구하고 있다. 을지문덕의 고구려군은 수의 군대를 살수에서 크게 물리쳤다. 이 전투를 살수 대첩이라고 한다.

3 당은 수의 뒤를 이어서 중국에 등장한 왕조이다. 당 태종은 연개소문의 정변을 구실로 고구려를 침입하였는데 안시성의 성주와 백성이 결사적으로 저항하여 당의 공격을 물리쳤다.

4 신라의 삼국 통일 과정은 나당 동맹 체결 → 사비성 함락 → 평양성 함락 → 매소성 전투 → 기벌포 전투의 순으로 전개되었다.

5 지도는 백제와 고구려의 부흥 운동을 나타내고 있다. 고연무, 검모잠, 안승은 고구려 부흥 운동을, 흑치상지와 복신·도침은 백제 부흥 운동을 주도하였다. 백제 멸망 후 복신과 도침은 왜에 있던 왕자 부여풍을 왕으로 맞이하여 백제 부흥을 꾀하였다.
　| 바로 알기 | ①은 고연무, ②는 복신과 도침, 흑치상지, ④는 고연무, 검모잠에 대한 설명이다. ⑤ 당과의 전쟁에 나선 신라는 안승을 보덕국의 왕으로 임명하여 고구려 유민을 포섭하였다.

6 백제 멸망 후 백제 부흥군이 왜에 군사 지원을 요청하자, 왜는 여러 차례에 걸쳐 병력을 보냈다. 백제 부흥군과 왜의 연합군은 나당 연합군과 백강에서 네 차례의 전투를 벌였으나 나당 연합군에 패하면서 백제 부흥 운동은 실패하였다.

7 백제의 공격에 시달리던 신라의 김춘추는 당에 가서 군사적 지원을 요청하였고, 고구려에 패배했던 당 태종은 여기에 응하여 신라와 당의 군사 동맹인 나당 동맹이 체결되었다. 나당 동맹은 신라의 삼국 통일의 한계점으로 지적되었다.

8 제시된 자료에서 발해가 고구려 유민을 중심으로 성립된 나라인 만큼 고구려 계승 의식이 있었고, 주변국인 일본도 이를 인정하였음을 알 수 있다.

9 조선 후기 실학자 유득공은 『발해고』 서문에서 김씨가 남쪽을 차지하고, (가) 대씨가 북쪽을 차지하고 이름을 (나) 발해라고 하였으므로 그 두 나라를 남북국이라고 부르고, 남북국사가 있어야 한다고 하였다. 유득공은 남북국이라는 말을 처음으로 사용하여 신라와 발해가 모두 우리 민족의 역사라는 점을 강조하였다.

서술형 문제

10 | 예시 답안 | 고구려는 수에 대해서는 돌궐과 연합하여 맞섰으며, 신라에 대해서는 백제·왜와의 교류를 강화하여 신라의 팽창을 견제하였다.

구분	채점 기준
상	수에 대한 대응과 신라에 대한 대응을 모두 옳게 서술한 경우
하	수에 대한 대응이나 신라에 대한 대응 중 하나만 옳게 서술한 경우

11 (1) ⊙ 백제 © 고구려
(2) | 예시 답안 | 신라와 당이 연합하여 백제와 고구려를 함께 공격하는 것이 어떻겠습니까?

구분	채점 기준
상	백제와 고구려를 포함하여 김춘추의 제안 내용을 옳게 서술한 경우
하	백제와 고구려를 포함하지 못하였지만, 김춘추의 제안 내용은 옳게 서술한 경우

12 | 예시 답안 | 발해. (발해가 고구려 계승 의식이 강하였다는 근거로는) 발해의 왕이 일본에 보낸 국서에서 고려 또는 고구려 국왕이라고 표현한 점, 일본도 발해를 고려 또는 고구려라고 부른 점 등을 들 수 있다.

구분	채점 기준
상	발해를 쓰고, 발해가 고구려 계승 의식이 강하다는 근거를 두 가지 모두 옳게 서술한 경우
중	발해를 쓰고, 발해가 고구려 계승 의식이 강하다는 근거를 한 가지만 옳게 서술한 경우
하	발해만 쓰거나 발해가 고구려 계승 의식이 강하다는 근거를 한 가지만 옳게 서술한 경우

02 남북국의 발전과 변화

개념 확인하기
p. 31

1 (1) ㄷ (2) ㄹ (3) ㄱ (4) ㄴ **2** ㉠ 집사부 ㉡ 시중 ㉢ 화백 회의
3 (1) – ㉤ (2) – ㉠ (3) – ㉢ (4) – ㉡ (5) – ㉣ **4** (1) 진골
(2) 녹읍 (3) 무왕 **5** (1) ○ (2) × (3) ○

족집게 문제
p. 32~33

1 ② **2** ③ **3** 녹읍 **4** ① **5** ② **6** ③ **7** ④ **8** ③
[서술형 문제 9~11] 해설 참조

1 문자 대화에서 제시된 사진은 경주의 문무대왕릉으로 문무왕
이 죽은 후 장사 지냈다고 전하는 곳이다. 신라의 삼국 통일을
완성한 문무왕은 죽어서도 나라를 지키는 용이 되겠다며 바다
에 장사 지낼 것을 유언하였다고 한다.

2 통일 이후 신라는 강력한 왕권을 확립하는 방향으로 통치 제
도를 정비하였다. 중앙 정치는 왕명을 수행하는 집사부를 중심
으로 운영하여 왕권이 강화되고 화백 회의 기능과 상대등의 권
위는 약화되었다. 신문왕 때 강력한 왕권 확립을 위해 지방 행
정 제도는 9주 5소경, 군사 제도는 9서당 10정을 설치하였다.

3 신문왕은 진골 귀족의 중요한 경제적 기반이던 녹읍을 폐지하
였다. 녹읍에는 토지에서 세금을 거둘 수 있는 수조권뿐만 아
니라 노동력도 징발할 수 있는 권한도 주어졌었다.

4 정당성과 6부의 명칭을 보아 제시된 도표는 발해의 중앙 정치
제도임을 알 수 있다. 발해는 대조영이 세운 나라로 고구려 계
승 의식이 강하였다. 문왕 때 당과 친선 관계를 맺고 당 문물
을 적극 수용하였다. 선왕 때에는 옛 고구려 영토의 대부분을
차지하여 전성기를 이루었다.
| **바로 알기** | ① 발해의 피지배층은 고구려 유민과 다수의 말갈인
으로 구성되었다. 발해의 지배층에 고구려 유민이 많았다.

5 발해는 선왕 때 연해주에서 요동 지방까지 영토를 넓혀 옛 고
구려 영토의 대부분을 차지하였다. 이때가 발해의 전성기였다.
| **바로 알기** | ①, ⑤는 무왕, ③은 문왕 때의 사실이고, ④는 발해
멸망 이후의 사실이다.

6 제시된 글은 진골 귀족의 왕위 다툼이 일어난 신라 말에 대해
설명하고 있다. 당시 김헌창, 장보고 등 지방 세력들도 왕위 쟁
탈전에 관여하였다. 원종과 애노의 난을 시작으로 전국에서 농
민이 봉기하였다. 최치원 등 6두품이 개혁안을 제시하기도 하
였다. 견훤은 후백제를, 궁예는 후고구려를 세워 신라와 함께
후삼국을 이루었다.
| **바로 알기** | ③ 김흠돌의 난은 신문왕 즉위 직후인 681년, 즉 7세
기 말에 일어난 반란이다.

7 당에서 군인으로 활약하던 장보고는 신라로 돌아와 청해진을
설치한 후 해상 무역을 장악하였다. 이를 바탕으로 세력을 키
운 장보고는 왕위 계승 분쟁에 개입하였다가 결국 암살되었다.

8 제시된 사건은 신라 말에 일어난 농민 봉기들이다. 당시 왕위
쟁탈전 속에서 귀족들의 수탈이 심해지고 자연재해와 전염병
도 일어나면서 농민이 토지를 잃고 노비나 유민, 도적이 되기
도 하였다. 이들은 정부의 조세 독촉을 계기로 봉기하였다.
| **바로 알기** | ㄱ은 삼국 통일 직후의 사실로, 농민 봉기의 발발과
관련이 없다. ㄹ은 901년의 일이다. 즉 제시된 농민 봉기 이후에 일
어났다.

서술형 문제

9 | **예시 답안** | 통일 후 신라는 대동강 이남 지역을 모두 통치하
게 되면서 넓어진 영토와 늘어난 인구를 효율적으로 다스리고
민족을 통합하기 위해 전국을 9주로 나누었으며, 주요 지방에
5소경을 설치하여 수도가 한 곳에 치우친 것을 보완하였다.

구분	채점 기준
상	9주 5소경의 지방 행정 제도를 마련한 이유와 그 내용을 모두 옳게 서술한 경우
중	9주 5소경의 지방 행정 제도를 마련한 이유만 옳게 서술한 경우
하	9주 5소경의 지방 행정 제도의 내용만 옳게 서술한 경우

10 | **예시 답안** | 발해의 왕들은 (당의 연호를 사용하지 않고) 독
자적인 연호를 사용하여 발해가 당과 대등하다는 의식을 드러
냈다.

구분	채점 기준
상	독자적인 연호의 사용과 그 이유를 모두 옳게 서술한 경우
하	독자적인 연호의 사용과 그 이유 중 하나만 옳게 서술한 경우

11 (1) 호족

(2) | **예시 답안** | 호족은 자신의 근거지에 성을 쌓고 스스로를
성주 또는 장군이라 부르며 지방의 군사와 행정을 장악하였다.

구분	채점 기준
상	호족의 활동을 옳게 서술한 경우
하	지방의 군사와 행정을 장악하였다고만 서술한 경우

03 남북국의 문화와 대외 관계

 확인하기　　　　　　　　　　　p. 35

1 (1) ○ (2) ○ (3) ✕　　2 (1) − ⑩ (2) − ⑦ (3) − ⓒ (4) − ⓔ
(5) − ⓛ　　3 승탑　　4 (1) 국학 (2) 화엄 (3) 일본 (4) 신라방
5 (1) 고 (2) 당 (3) 고　　6 발해관

족집게 문제　　　　　　　　　　　p. 36~37

1 ③　2 원효　3 ②　4 ④　5 ①　6 ②　7 ②　8 ③
[서술형 문제 9~11] 해설 참조

1 의상은 "하나가 전체요, 전체가 하나다."라는 화엄 사상을 주장하여 통일 직후 신라 사회를 통합하는 데 기여하였다.

2 원효는 백성에게 어려운 불교 교리 대신에 '나무아미타불'을 열심히 외우면 누구든지 극락정토에 갈 수 있다고 가르쳐 불교의 대중화에 기여하였다.

3 삼국 통일 이후 신라에서는 불교문화가 번성하여 불국사, 석굴암 등의 사원뿐만 아니라 불상, 탑, 범종 등이 만들어졌다. 이 시기에 만들어진 성덕 대왕 신종은 우리나라에 현재 남아 있는 범종 중 가장 크다.
| 바로 알기 | ①, ⑤는 통일 전 신라, ③은 백제, ④는 고구려에서 만들어졌다.

4 정효 공주는 발해의 공주이다. 발해 정효 공주 묘는 벽돌로 벽을 쌓는 당의 벽돌무덤 양식과 천장을 돌로 공간을 줄여 나가면서 쌓는 고구려 고분 양식이 결합되어 있다.

5 발해 수도였던 상경성의 절터에 남아 있는 문화유산으로 높이가 6m가 넘고, 고구려의 영향을 받아 몸체에 연꽃무늬가 있는 문화유산은 발해 석등이다.
| 바로 알기 | ②는 발해 영광탑, ③은 경주 불국사 3층 석탑, ④는 경주 불국사 다보탑, ⑤는 부여 정림사지 5층 석탑이다.

6 제시된 유물은 원성왕릉 무인석과 사자·공작무늬 돌이다. 원성왕릉 무인석은 머리에 쓴 터번과 곱슬머리, 오똑한 콧날 등 서역인의 모습을 하고 있고, 사자·공작무늬는 사산 왕조 페르시아에서 유행한 무늬이다. 따라서 이 두 유물은 당시 신라와 서역이 교류하였음을 짐작하게 한다.

7 자료의 사실이 나타난 시기는 신라 말이다. 이때 신라는 당과 활발히 교역하여 당의 산둥반도와 동쪽 해안에 신라방, 신라원, 신라소, 신라관 등이 생겨났다.
| 바로 알기 | ①은 발해, ③은 고구려, ④는 통일 전 신라, ⑤는 백제의 대외 교류에 대한 설명이다.

8 밑줄 친 '이 나라'는 발해이다. 발해는 무왕 때에는 당과 적대 관계였으나 문왕 때 친선 관계를 맺은 뒤 당으로부터 선진 문물을 받아들였다. 당은 산둥반도에 발해관을 설치하여 발해인이 숙소로 이용하도록 하였다. 발해는 당과 신라를 견제하기 위해 일본과도 친선 관계를 맺고 활발하게 교류하였다.

| 바로 알기 | ③ 발해는 처음에는 신라와 대립하였으나, 발해와 당의 관계가 안정된 뒤에는 신라와 사신을 교환하였다. 발해는 동경에서 신라에 이르는 교통로를 설치하여 신라와 교역하였다.

 **서술형 문제**

9 | 예시 답안 | 원효. 원효는 백성에게 어려운 불교 경전 대신에 나무아미타불만 외우면 극락정토에 갈 수 있다고 가르쳐

구분	채점 기준
상	원효를 쓰고, (가)에 들어갈 원효의 활동을 적절히 서술한 경우
중	원효를 쓰지 못하였으나, (가)에 들어갈 원효의 활동은 적절히 서술한 경우
하	원효만 쓴 경우

10 | 예시 답안 | 갑: 정혜 공주 묘는 고구려 고분 양식을 계승하여 모줄임천장 구조를 갖춘 굴식 돌방무덤 양식으로 만들었다.
을: 정효 공주 묘는 당의 영향을 받아 벽돌무덤으로 만들었다.

구분	채점 기준
상	갑과 을의 주장을 뒷받침할 수 있는 근거를 각각 한 가지씩 모두 옳게 서술한 경우
하	갑이나 을의 주장을 뒷받침할 수 있는 근거를 한 가지만 옳게 서술한 경우

11 | 예시 답안 | 발해는 거란도, 영주도, 조공도, 신라도, 일본도 등 다양한 교통로를 통해 당, 신라, 일본을 비롯하여 거란 등의 유목 민족과도 교역하였다.

구분	채점 기준
상	발해 대외 교류의 내용을 지도에 표시된 교역 상대국과 교통로를 모두 포함하여 옳게 서술한 경우
하	발해 대외 교류의 내용을 지도에 표시된 교역 상대국이나 교통로 중 하나만 포함하여 옳게 서술한 경우

Ⅲ 고려의 성립과 변천

01 고려의 건국과 정치 변화

개념 확인하기   p. 40

1 (1) ㄱ, ㄴ (2) ㄷ (3) ㄹ, ㅁ   **2** (1) – ② (2) – ⓒ (3) – ③
(4) – ⓒ (5) – ⑩   **3** (1) 5도 (2) 주현 (3) 6위 (4) 주현군
4 음서   **5** (1) ○ (2) ○ (3) × (4) ○

내공 쌓는 족집게 문제   p. 40~43

1 ④   **2** ⑤   **3** 기인 제도   **4** ③   **5** ②   **6** ⑤   **7** ④   **8** ④
9 ③   **10** ①   **11** 음서   **12** ⑤   **13** ③   **14** ④   **15** ③
16 ①   **17** ⑤   **18** ③   [서술형 문제 19~21] 해설 참조

1 고려의 건국과 후삼국 통일 과정에서 지방 세력이 참여하면서 고려는 정치 참여 세력의 폭이 신라보다 넓어졌다. 고려는 신라와 후백제뿐만 아니라 거란에 멸망한 발해 유민까지 받아들여 민족의 재통합을 이루었다.
| **바로 알기** | ㄱ, ㄷ은 신라의 삼국 통일에 대한 설명이다.

2 고려의 건국과 후삼국 통일 과정은 고려 건국(918) → 송악 천도(919) → 공산 전투(927) → 고창 전투(930) → 견훤의 투항(935) → 신라 항복(935) → 후백제 멸망, 후삼국 통일(936)의 순이다. 한편 발해는 거란의 공격으로 926년에 멸망하였다. 이후 발해 유민이 고려에 들어왔다.

3 태조는 호족을 포섭하기도 하고, 견제하기도 하였는데, 견제를 위해 실시한 제도 중 하나가 기인 제도이다. 기인 제도는 호족의 자제를 수도에 머물게 하여 출신 지역의 일에 대해 자문을 구하는 한편, 이들을 볼모로 삼는 제도였다.

4 왕건(태조)은 고구려를 계승한다는 의미로 나라 이름을 고려라고 하였다. 더 나아가 태조는 옛 고구려 땅을 되찾기 위해 고구려의 수도인 평양을 서경으로 삼아 북진 정책을 추진하였다. 그 결과 태조 말 고려의 영토는 청천강에서 영흥만에 이르는 지역까지 넓어졌다.

5 광종은 호족 세력을 견제하고 왕권을 강화하기 위한 정책을 추진하였다. 노비안검법을 실시하여 호족이 불법으로 차지한 노비를 양인으로 해방하였고 과거제를 실시하여 유교적 지식과 학문적 능력을 지닌 인재를 관리로 선발하였다.
| **바로 알기** | ①, ④, ⑤는 태조가 한 일이다. ③ 성종은 12목에 지방관을 파견하였다.

6 제시된 개혁안은 최승로가 건의한 시무 28조이다. 성종은 최승로의 시무 28조를 받아들여 유교를 국가의 통치 이념으로 삼고, 중앙 관제를 정비하였으며, 전국 주요 지역에 12목을 설치하고 지방관을 파견하였다.
| **바로 알기** | ①, ④는 광종의 왕권 강화 정책, ②, ③은 각각 태조의 민족 융합 정책과 호족 포섭·견제 정책이다.

7 어사대는 관리의 비리를 감찰하였다. 한편 중서문하성의 일부 관리와 어사대의 관리는 대간으로 불렸는데, 이들은 정치의 잘잘못을 논하고 관리의 비리를 감찰하였다.
| **바로 알기** | ①은 중추원, ②는 도병마사, ③은 식목도감, ⑤는 삼사에 대한 내용이다.

8 제시된 도표는 고려의 중앙 정치 기구를 나타내고 있다. 고려에는 향·부곡·소라는 특수 행정 구역이 있었다. 향·부곡의 주민은 주로 농업에 종사하였고, 소의 주민은 주로 수공업에 종사하였다. 이들은 군, 현의 주민에 비해 더 많은 세금을 부담하는 등 차별 대우를 받았다.
| **바로 알기** | ①, ③은 통일 신라, ②는 백제, ⑤는 발해의 지방 행정 제도와 관련이 있다.

9 고려는 전국을 5도와 양계, 경기로 나누어 다스렸다. 국경 지역에는 양계를 설치하고 나머지 지역은 5도로 나누었다. 군사 행정 구역인 양계에는 병마사를 파견하였고, 일반 행정 구역인 5도에는 안찰사를 파견하였다.
| **바로 알기** | ①은 통일 신라의 지방 행정 조직, ②는 발해의 지방 행정 조직, ④는 고려의 중앙군, ⑤는 통일 신라의 군사 제도이다.

10 제시된 도표는 고려의 관리 등용 제도를 나타내고 있다. 과거에는 문관을 뽑는 제술과와 명경과, 기술관을 뽑는 잡과, 승려를 대상으로 하는 승과가 있었다. 무과는 거의 시행되지 않았고, 과거는 원칙적으로 양인 이상이면 응시할 수 있었다.
| **바로 알기** | ① 시험 없이 음서로도 문관이 될 수 있었다. 학식과 덕행이 뛰어난 인재를 추천받아 관료로 임명하는 천거도 있었다.

11 가문의 은덕을 입어 관리가 되는 방법으로는 음서가 있다. 고려에서 음서는 왕족이나 공신의 후손, 5품 이상 고위 관리의 자손을 시험을 거치지 않고 관리로 임명하는 제도였다. 음서의 혜택은 아들과 사위, 친손과 외손 모두 누릴 수 있었다.

12 고려에서는 5품 이상의 고위 관리는 음서로 자손을 관직에 나아가게 할 수 있었다. 과거 급제를 명예로 생각하였기 때문에 음서로 관직에 나아가더라도 과거에 응시하는 경우가 있었다.
| **바로 알기** | ㄱ, ㄴ은 과거제에 대한 설명이다. 과거에서는 문학적 글쓰기 능력과 정책을 시험하는 제술과와 유교 경전의 이해 능력을 묻는 명경과를 중요하게 여겼다.

13 경원 이씨 가문은 왕실과의 거듭된 혼인으로 세력을 키워 고려의 대표적인 (가) 문벌로 성장하였다. 여러 대에 걸쳐 고위 관리를 배출한 가문은 문벌을 형성하였다. 문벌은 과거와 음서로 주요 관직을 독점하고, 왕실 및 다른 문벌과 혼인하며 세력을 확대하였다.
| **바로 알기** | ㄱ, ㄹ은 무신에 대한 설명이다.

14 고려 시대의 대표적인 문벌 출신인 이자겸이 막강한 권세를 누리자, 인종이 이자겸을 제거하려 하였는데, 이자겸이 난을 일으켜 실패하였다. 인종이 다시 이자겸을 제거하였지만 왕의 권위가 떨어졌다. 이에 인종은 왕권을 회복하기 위해 서경 세력을 등용해 개혁을 추진하였다. 묘청 등 서경 세력은 개경 세력의 반대로 서경 천도가 어려워지자 반란을 일으켰다가 진압되었다. 이자겸의 난과 묘청의 서경 천도 운동을 겪으면서 고려의 정치 질서가 흔들리고 왕권이 약화되었다.

15 제시된 사건들은 무신 집권기에 일어난 봉기들 중 일부이다. 무신 정변 이후 무신들의 권력 다툼으로 정치가 혼란하였고, 신분 질서가 크게 흔들렸다. 또한 무신 집권자와 무신 출신 지방관들이 백성을 수탈하였다. 이러한 상황에서 전국 각지에서 농민과 천민이 봉기하였다.

16 (가)는 최충헌이다. 최충헌은 교정도감을 설치하여 국가의 중요한 정책을 결정하고 집행하였다. 또한 사병 집단인 도방을 확대하여 호위를 강화하였다.
| 바로 알기 | ②는 최충헌에 의해 제거된 이의민, ③, ④, ⑤는 최충헌의 뒤를 이어 집권한 아들 최우에 대한 설명이다.

17 무신 정변으로 정권을 장악한 무신들은 이전부터 있었던 무신들의 회의 기구인 (나) 중방을 통해 권력을 행사하였다. 최우는 (다) 정방을 자기 집에 설치하여 모든 관리의 인사 행정을 담당하게 하였다.
| 바로 알기 | 도방은 경대승이 처음으로 설치한 사병 집단인데 최충헌이 확대하였다. 삼사는 재정의 출납과 회계를 담당한 기구이다. 서방은 최우가 설치한 문인들의 정책 자문 기구이다.

18 무신 정권기에는 무신 간의 권력 다툼으로 정치적 혼란이 계속되어 지방 통제력이 약화되었다. 지배층의 수탈도 심해져 농민의 고통은 더욱 커졌다. 이로 인해 농민과 천민의 봉기가 곳곳에서 일어났다. 특히 개성의 사노비 만적은 신분 해방을 목적으로 봉기를 도모했다가 발각되었다.

구분	채점 기준
상	무신 집권기에 농민과 천민의 봉기들이 일어난 배경을 세 가지 모두 옳게 서술한 경우
중	무신 집권기에 농민과 천민의 봉기들이 일어난 배경을 두 가지만 옳게 서술한 경우
하	무신 집권기에 농민과 천민의 봉기들이 일어난 배경을 한 가지만 옳게 서술한 경우

19 | 예시 답안 | 사심관. 지방 통치를 보완하고 호족을 견제하기 위해 실시하였다.

구분	채점 기준
상	사심관을 쓰고, 사심관 제도를 실시한 이유를 옳게 서술한 경우
중	사심관은 쓰지 못하였으나, 사심관 제도를 실시한 이유는 옳게 서술한 경우
하	사심관만 쓴 경우

20 | 예시 답안 | (가) 도병마사 (나) 식목도감. 도병마사와 식목도감은 고려의 독자적인 기구들로, 중서문하성과 중추원의 고위 관료들이 모여 국가의 중요한 일을 논의하던 회의 기구였다.

구분	채점 기준
상	도병마사와 식목도감을 모두 쓰고, 도병마사와 식목도감의 공통점을 옳게 서술한 경우
중	도병마사와 식목도감을 모두 쓰지는 못하였으나, 도병마사와 식목도감의 공통점은 옳게 서술한 경우
하	도병마사와 식목도감만 모두 쓴 경우

21 | 예시 답안 | 무신 정변 이후 무신들의 권력 다툼으로 정치가 혼란해졌다. 또한 무신 집권자들의 수탈이 심해지면서 백성들의 고통은 더욱 심해졌다. 한편 천민 출신의 무신 집권자가 나오면서 농민이나 천민의 신분 상승에 대한 기대감이 고조되었다.

02 고려의 대외 관계

개념 확인하기 p. 45

1 (1) ✕ (2) ◯ (3) ◯ **2** (1) 거 (2) 여 (3) 거 (4) 여 **3** (나) – (가) – (다) – (라) **4** (1) – ㉢ (2) – ㉠ (3) – ㉡ **5** 벽란도

내공 쌓는 족집게 문제 p. 45~47

1 ④ **2** ① **3** ① **4** ④ **5** ① **6** ② **7** 금 **8** ⑤ **9** ① **10** ② **11** ③ **12** ③ [서술형 문제 13~15] 해설 참조

1 제시된 지도는 10~12세기 동아시아 정세를 나타내고 있다. 10세기에는 거란이 성장하여 발해를 멸망시키며 세력을 확대하였고, 송이 중국을 다시 통일하였다. 고려는 거란을 견제하는 한편 송과 우호적인 관계를 맺었다. 12세기에는 여진이 금을 세우고 고려에 형제 관계를 제의하였다. 더욱 강성해진 금은 거란(요)을 멸망시켰다.
| 바로 알기 | ④ 고려는 거란, 여진 등 북방 민족의 침입을 경계하면서도 이들과 꾸준히 교류하였다.

2 거란의 1차 침입 때 서희는 거란 장수 소손녕과 담판을 벌여 송과의 관계를 끊고 거란과 교류할 것을 약속하는 대신 압록강 동쪽의 강동 6주를 고려의 영토로 인정받았다.

3 거란의 소배압이 10만 대군을 이끌고 고려를 침략하였다. 거란군은 흥화진에서 패하였지만, 계속 진격하여 개경 부근까지 침략하였다. 그러나 개경을 함락하지 못하고 철수를 결정하였는데, 강감찬이 이끄는 고려군이 귀주에서 거란군을 거의 전멸시켰다. 이 전투를 귀주 대첩이라고 한다.
| 바로 알기 | ② 살수 대첩은 고구려 을지문덕이 수의 군대를 물리친 전투이다. ③ 관산성 전투는 백제 성왕이 신라군과 싸우다 전사한 전투이다. ④ 기벌포 전투는 신라가 당군을 격퇴한 전투이다. ⑤ 안시성 싸움은 고구려가 당군을 격퇴한 싸움이다.

4 지도의 (가)는 거란으로, 지도는 거란의 침입과 격퇴를 나타내고 있다. 거란의 3차 침입 후에 고려는 개경에 나성을 쌓고 국경에 천리장성을 쌓아 북방 민족의 침입에 대비하였다.

5 거란의 침입과 고려의 대응은 1차 침입 때 (가) 서희의 외교 담판에 의한 강동 6주 획득 → 2차 침입 때 (나) 양규의 활약 → 3차 침입 때 (다) 강감찬의 귀주 대첩, (라) 나성과 천리장성 축조의 순으로 전개되었다.

6 밑줄 친 '이 사람'은 윤관이다. 윤관은 별무반을 편성하여 여진 정벌에 나서 동북 지방에 9성을 쌓고 고려의 영토로 삼았다.
| 바로 알기 | ①은 이자겸, ③은 서희, ④는 강감찬, ⑤는 최충헌에 대한 설명이다.

7 여진이 세력을 키워 금을 세우고 고려에 형제 관계를 제의하였다. 이후 금이 더욱 강성해져 거란(요)을 멸망시키고, 고려에 사대 관계를 요구하였다. 고려 조정에서는 이에 반대하는 여론이 높았으나, 이자겸 등이 금의 사대 요구를 받아들였다.

8 세력을 키운 여진은 금을 건국하고, 거란(요)을 멸망시켰으며, 고려에 사대를 요구하였다. 당시 집권 세력인 이자겸이 금의 사대 요구를 수용하였다.

9 밑줄 친 '그들'은 대식국(아라비아) 상인이다. 아라비아 상인은 벽란도를 통해 고려의 개경에 들어와 수은, 향료, 산호 등을 팔고 금, 비단 등을 사 갔다.
| 바로 알기 | ②는 거란, ③, ④는 송, ⑤는 일본과의 대외 교류에 대한 설명이다.

10 고려는 송과 가장 활발하게 교류하였다. 사신, 학자 등을 보내 송의 선진 문물을 받아들였다. 초조대장경 간행과 청자 제작, 음악 발달도 송의 영향을 받아 이루어졌다. 고려 초에 송의 제도를 참고하여 중앙 정치 기구를 마련하기도 하였다.

11 지도의 (가)는 벽란도이다. 개경과 가까운 예성강 입구에 있는 항구인 벽란도는 송과 일본, 아라비아 상인까지 와서 거래한 국제 무역항이었다.
| 바로 알기 | ①은 신라가 당의 수군을 몰아낸 전투가 있었던 곳이다. ②, ④는 통일 신라의 주요 무역항이었다. ⑤는 장보고가 해적을 물리치기 위한 군진을 설치한 곳이다.

12 지도의 (가)는 여진, (나)는 거란, (다)는 송, (라)는 일본이다. 고려는 거란의 침입을 물리친 이후 거란과 외교 관계를 맺고 교류하였다. 거란에서 들어온 대장경은 고려의 대장경 편찬에 영향을 주었다. 고려는 송과 가장 활발하게 교류하면서 문화적·경제적인 실리를 추구하였다.
| 바로 알기 | ㄱ, ㄹ은 고려와 송의 교류에 대한 설명이다. 송 상인들은 북방에 거란, 여진이 있었으므로 서해안의 바닷길을 이용하여 비단, 서적, 약재 등 왕실과 귀족의 수요품을 고려에 가져왔다.

서술형 문제

13 | 예시 답안 | 거란이 송과 고려의 연합을 막기 위해 고려를 침략하자, 서희는 외교 담판을 벌여 송과의 관계를 끊고 거란과 교류할 것을 약속하는 대신에 압록강 동쪽의 강동 6주를 고려 영토로 인정받았다.

구분	채점 기준
상	제시된 외교 담판이 벌어진 계기와 결과를 모두 옳게 서술한 경우
하	제시된 외교 담판이 벌어진 계기나 결과 중 한 가지만 옳게 서술한 경우

14 | 예시 답안 | 귀주 대첩. 귀주 대첩 이후 고려는 거란이나 여진 등 북방 민족의 침입에 대비하여 개경에 나성을 쌓고 국경에 천리장성을 쌓았다.

구분	채점 기준
상	귀주 대첩을 쓰고, 귀주 대첩 이후 고려가 마련한 대비책을 옳게 서술한 경우
중	귀주 대첩은 쓰지 못하였으나, 귀주 대첩 이후 고려가 마련한 대책은 옳게 서술한 경우
하	귀주 대첩만 쓴 경우

15 | 예시 답안 | (가) 비단, 서적, 약재 등 왕실과 귀족의 수요품을 고려에 가져왔다. (나) 나전 칠기, 화문석, 종이, 인삼 등을 송에 수출하였다.

구분	채점 기준
상	(가)와 (나)에 들어갈 무역 품목과 활동을 모두 옳게 서술한 경우
하	(가) 또는 (나)에 들어갈 무역 품목과 활동 중 한 가지만 옳게 서술한 경우

03 몽골의 간섭과 고려의 개혁

개념 확인하기   p. 49

1 (1) ○ (2) × (3) ○   **2** (1) 성리학 (2) 정동행성 (3) 음서
(4) 삼별초   **3** (1) − ㉣ (2) − ㉠ (3) − ㉢ (4) − ㉡   **4** 신돈
5 (1) ㄱ (2) ㄴ, ㄷ (3) ㄴ, ㄹ

내공 쌓는 족집게 문제   p. 50~51

1 ①   **2** ②   **3** ③   **4** 전민변정도감   **5** ④   **6** ⑤   **7** ⑤
8 ④   **9** ③   [서술형 문제 10~12] 해설 참조

1 고려에 왔던 몽골 사신이 국경 근처에서 살해당하자 1231년에 몽골은 이를 구실로 고려를 침략하였다. 이것이 몽골의 1차 침입이다. 이후 30여 년에 걸친 대몽 항쟁이 전개되었다.
| 바로 알기 | ①은 몽골 사신 피살 사건이 일어나기 이전의 일이다. 13세기 초 몽골이 금을 공격하자 금의 지배를 받던 거란인이 반란을 일으켰다가 몽골군에 쫓겨 고려에 침입하였다. 고려는 몽골군과 연합하여 거란인이 있던 강동성을 함락하였다. 이를 계기로 고려는 몽골과 국교를 맺었다.

2 몽골의 1차 침입 이후 최씨 정권은 수도를 개경에서 강화도로 옮겨 장기 항전을 준비하였고, 고려군과 백성은 몽골에 맞서 적극적으로 항쟁하였다. 김윤후는 처인성에서 부곡민들과 힘을 합쳐 몽골군 대장 살리타를 사살하였다. 최씨 정권이 무너진 후 고려 정부는 몽골과 강화를 맺고 개경으로 다시 돌아왔다.
| 바로 알기 | ①은 여진 정벌 때의 사실이다. ③은 원·명 교체기의 사실이다. ④는 몽골의 1차 침입의 계기이다. ⑤는 개경 환도 이후의 사실이다.

3 고려 정부가 몽골과 강화를 맺고 개경으로 돌아가자, 무신 정권의 군사적 기반이었던 삼별초는 개경 환도에 반대하며 대몽 항쟁을 계속하였다. 이들은 근거지를 강화도에서 진도로, 진도에서 다시 제주도로 옮겨가며 항전을 계속하였다.

4 공민왕은 전민변정도감을 설치하여 권문세족이 불법적으로 빼앗은 토지를 원래의 주인에게 돌려주고, 강제로 노비가 된 사람들을 양인으로 풀어 주었다.

5 원 간섭기에 고려에서는 몽골풍이 유행하였다. 당시 고려 국왕은 원 황실의 사위가 되었고, 왕실 호칭과 관직 이름도 격하되었다. 원은 고려에서 금, 인삼, 사냥용 매 등 특산물을 거두어 갔으며, 환관과 공녀 등 많은 사람을 끌고 갔다.
| 바로 알기 | ④ 몽골풍이 유행한 것은 원 간섭기인데 무신 정변은 약 100년 전인 1170년에 일어났다.

6 기사 제목의 (가)는 공민왕이다. 14세기 중엽에 원이 급격히 쇠퇴하자 공민왕은 자주성을 회복하기 위해 원이 고려의 내정을 간섭하는 핵심 기구였던 정동행성이문소를 폐지하고, 쌍성총관부를 공격하여 동북쪽의 영토를 되찾았다.
| 바로 알기 | ①은 태조, ②, ④는 광종에 대한 설명이다. ③은 거란의 침입을 물리친 후의 일이다.

7 14세기 후반에는 홍건적과 왜구가 고려에 자주 침입하였다. 홍건적은 원이 쇠약해진 틈을 타 반란을 일으킨 한족 농민군으로, 이들 중 원에 쫓긴 일부가 고려에 침입하여 한때 개경을 함락하였다. 왜구는 남쪽 해안 지방을 약탈하다가 점차 내륙 지역과 개경 근처까지 침입하여 큰 피해를 주었다.

| 바로 알기 | ㄱ. 거란의 침입은 10세기 말~11세기 초에 있었다. ㄴ. 몽골의 침입은 13세기에 있었다.

8 지도의 (가) 사건은 위화도 회군이다. 우왕의 명령으로 요동 정벌에 나선 이성계는 위화도에서 군대를 돌려 개경을 장악하고, 우왕과 최영을 몰아내고 정치·군사의 실권을 잡았다.

9 이색, 정몽주, 정도전은 신진 사대부를 대표하는 인물이다. 신진 사대부는 과거에 급제하여 관직에 진출하였고, 성리학을 공부하였다. 권문세족의 비리를 비판하였으며, 원과 명이 교체되던 시기에 명과 화친할 것을 주장하였다.

| 바로 알기 | ①은 권문세족, ②는 서경 세력, ④는 문벌, ⑤는 최우에 대한 설명이다.

서술형 문제

10 | 예시 답안 | 삼별초. 무신 정권의 군사적 기반이었던 삼별초는 개경 환도에 반대하며 봉기하여 대몽 항쟁을 계속하였다.

구분	채점 기준
상	삼별초를 쓰고, 삼별초가 대몽 항쟁을 지속한 이유를 옳게 서술한 경우
중	삼별초를 쓰지 못하였지만, 삼별초가 대몽 항쟁을 지속한 이유는 옳게 서술한 경우
하	삼별초만 쓴 경우

11 | 예시 답안 | 전민변정도감. 권문세족이 빼앗은 토지와 노비를 원래 주인에게 돌려주고, 강제로 노비가 된 사람들을 양인으로 풀어 주었다.

구분	채점 기준
상	전민변정도감을 쓰고, 전민변정도감의 개혁 내용도 옳게 서술한 경우
중	전민변정도감을 쓰지 못하였으나, 전민변정도감의 개혁 내용은 옳게 서술한 경우
하	전민변정도감만 쓴 경우

12 | 예시 답안 | 과거에 급제하여 관직에 진출하였고 성리학을 공부하였다. 권문세족의 비리를 비판하였고 명과 화친할 것을 주장하였다.

구분	채점 기준
상	신진 사대부의 특징을 세 가지 이상 옳게 서술한 경우
중	신진 사대부의 특징을 두 가지만 옳게 서술한 경우
하	신진 사대부의 특징을 한 가지만 옳게 서술한 경우

04 고려의 생활과 문화

개념 확인하기 p. 53

1 (1) × (2) ○ (3) ○ (4) ○ **2** 향도 **3** (1) 광종 (2) 도교 (3) 성리학 (4) 지눌 (5) 국자감 **4** (1) – ⓒ (2) – ㉠ (3) – ㉣ (4) – ⓛ **5** (1) ㄹ (2) ㄷ (3) ㄴ (4) ㄱ

족집게 문제 p. 54~56

1 ② **2** ① **3** 향도 **4** ③ **5** ⑤ **6** ③ **7** ② **8** ④ **9** ④ **10** ⑤ **11** ⑤ **12** ⑤ **13** ① **[서술형 문제 14~16]** 해설 참조

1 고려 시대에 노비는 매매·증여·상속의 대상이었다. 고려 시대에는 가족 관계 속에서 여성과 남성의 권리가 사실상 동등하였다. 부모의 재산은 아들과 딸을 구분하지 않고 균등하게 분배하였다.

| 바로 알기 | ㄴ, ㄷ은 성리학적 사회 질서가 확산된 조선 후기의 생활 모습이다.

2 아버지 쪽과 어머니 쪽을 차별하지 않고 동등하게 여겨서 호칭도 아버지 쪽과 어머니 쪽을 구분하지 않았던 시기는 고려 시대이다. 고려 시대에는 여자는 18세, 남자는 20세 전후로 혼인하였고, 같은 신분이나 계층끼리 결혼하는 경우가 많았다. 결혼 후에는 남자가 여자의 집에서 지내는 처가살이가 일반적이었다. 남성과 여성은 모두 이혼을 요구할 수 있었고, 부부 중 한쪽이 사망할 경우 남은 사람이 재혼하는 것을 당연하게 여겼다.

| 바로 알기 | ① 고려의 혼인 제도는 일부일처제가 일반적이었다.

3 향도는 고려 시대에 불교 신앙을 바탕으로 조직된 대규모 노동 조직이었다. 매향 활동을 하고 절이나 불상, 석탑 등을 만들 때 주도적인 역할을 하였다. 고려 후기에는 이웃의 상장례를 함께 치르고 연회를 베풀어 친목을 다지는 소규모 농민 조직으로 변하였다.

4 고려 시대에 불교는 국가의 지원을 받아 크게 발전하였다. 태조는 연등회를 비롯한 불교 행사를 성대하게 열 것을 당부하였으며, 광종은 과거에 승과를 설치하고 국사와 왕사 제도를 정비하였다.

| 바로 알기 | ㄱ. 우리나라 최초의 대장경인 초조대장경 목판이 몽골의 침입으로 불타자 무신 집권자 최우는 대몽 항쟁을 전개하면서 팔만대장경을 만들었다. ㄹ. 개성 경천사지 10층 석탑은 고려 후기에 원의 영향을 받아 제작되었다.

5 의천은 송에 유학하여 불교 교리를 공부하였다. 귀국 후에는 교단 통합 운동을 벌여 화엄종을 중심으로 교종을 통합하려 하였고, 천태종을 창시하여 교종의 입장에서 선종을 통합하려 하였다.

| 바로 알기 | ①은 지눌, ②는 신라의 혜초, ③은 신라의 의상, ④는 신라의 원효에 대한 설명이다.

6 고려 시대에는 정치에서 유교 이념이 강조되면서 유학 교육이 확대되었다. 개경에 최고 국립 교육 기관인 국자감, 지방의 주요 지역에 향교를 설치하여 유교 경전과 역사서를 강의하였다.

7 성리학은 충렬왕 때 안향에 의해 고려에 소개되었다. 이제현 등은 만권당에서 원의 유학자들과 교류하며 성리학에 대한 이해를 높였다. 신진 사대부는 성리학을 사상적 기반으로 삼아 권문세족과 불교의 폐단을 비판하며 개혁을 주장하였다.
| 바로 알기 | ①은 선종 중 지눌, ③은 도교, ④는 선종, ⑤는 풍수지리설에 대한 설명이다.

8 『삼국유사』는 승려 일연이 삼국의 역사를 민간에 전해지는 전설, 야사, 신화 등 『삼국사기』에서 빠진 내용까지 정리하여 편찬한 역사서이다. 삼국의 역사와 설화, 우리의 고유문화와 불교에 관한 다양한 이야기를 담고 있으며, 처음으로 단군의 건국 이야기를 기록하였다.

9 『삼국유사』는 처음으로 단군의 건국 이야기를 기록하였고, 『제왕운기』는 단군 조선을 우리 역사상 최초의 국가로 기록하였다.

10 (가)는 논산 관촉사 석조 미륵보살 입상이다. 논산 관촉사 석조 미륵보살 입상은 국내 최대 규모의 석불로 은진 미륵이라고도 한다. 토속적이고 지방색이 강하며, 형식에 크게 구애받지 않는 자유분방함이 특징이다.

11 영주 부석사 무량수전은 기둥 위에만 공포를 두는 주심포 양식의 목조 건축물로 배흘림기둥을 사용하였다. 배흘림기둥은 기둥의 중간을 굵게 하고, 위와 아래로 가면서 기둥의 굵기를 점점 가늘게 하는 것이 특징이다.

12 제시된 사진은 청자 상감 운학문 매병으로 고려 상감 청자를 대표하는 작품이다. 구름과 학의 무늬를 흑백 상감으로 표현하였다. 상감 기법은 고려가 독자적으로 개발해낸 것이다.

13 기사 제목의 (가)는 팔만대장경이다. 최씨 무신 정권은 불교의 힘으로 몽골의 침략을 막고자 대장경을 제작하였다. 팔만대장경은 새김이 정교하고 오늘날까지 경판이 원형을 유지하고 있어 고려 목판 인쇄술의 높은 수준을 보여 준다. 팔만대장경 경판은 유네스코 세계 기록 유산으로 등재되었다.
| 바로 알기 | ① 현존하는 가장 오래된 목판 인쇄물은 무구정광대다라니경이다.

 **서술형 문제**

14 | 예시 답안 | 김부식. 유학자 김부식은 유교의 합리주의 사관에 따라 『삼국사기』를 편찬하여 전설, 설화와 같은 믿지 못할 이야기는 자세히 기록하지 않았다.

구분	채점 기준
상	김부식을 쓰고, 유교의 합리주의 사관에 따라 편찬되었다고 서술한 경우
중	김부식은 쓰지 못하였으나 유교의 합리주의 사관에 따라 편찬되었다고 서술한 경우
하	김부식만 쓴 경우

15 | 예시 답안 | 목판 인쇄술은 한 권의 책을 내는 데에도 여러 장의 판목이 필요하여 많은 시간과 비용이 들고 보관이 어렵지만, 금속 활자는 필요할 때마다 이미 만들어 놓은 활자로 판을 짜서 인쇄하므로 여러 권의 책도 적은 시간과 비용을 들여 만들 수 있다.

구분	채점 기준
상	금속 활자가 인쇄술 발달에서 갖는 의미를 목판 인쇄술과 비교하여 옳게 서술한 경우
하	금속 활자가 인쇄술 발달에서 갖는 의미만 옳게 서술한 경우

16 | 예시 답안 | 상감 기법. 자기의 표면을 파내고 거기에 다른 색깔의 흙을 메워 무늬를 만드는 기법이다.

구분	채점 기준
상	상감 기법을 쓰고, 상감 기법에 대한 설명을 옳게 서술한 경우
중	상감 기법은 쓰지 못하였으나, 상감 기법에 대한 설명은 옳게 서술한 경우
하	상감 기법만 쓴 경우

대단원별 **핵심** 문제

I. 선사 문화와 고대 국가의 형성(1회) p. 58~62

1 ⑤	2 ④	3 세형 동검	4 ③	5 ④	6 ⑤	7 ⑤	8 ④
9 ④	10 ⑤	11 ⑤	12 ④	13 ②	14 ⑤	15 ③	16 마립간
17 ⑤	18 ④	19 ④	20 ②	21 ⑤	22 ④	23 ③	
24 ①	25 ④	26 ②	27 ③	28 ①			

1 사진은 뗀석기인 주먹도끼이고, 기사는 연천 전곡리 구석기 유적에서 열리는 축제에 대한 것이다. 따라서 밑줄 친 '○○○ 시대'는 구석기 시대이다. 연천 전곡리 유적은 1978년에 주먹도끼가 발견되면서 동아시아에서도 발달한 구석기 문화가 있었음을 증명하는 구석기 유적지이다. 구석기 시대에는 주로 사냥과 채집으로 식량을 구하였다.
| 바로 알기 | ①, ③, ④는 신석기 시대, ②는 청동기 시대의 사실이다.

2 제시된 그림을 보면 바닥이 둥근 형태의 움집과 얼굴 모양 조개껍데기, 빗살무늬 토기가 있으며 사람이 갈판과 갈돌을 이용해 곡물을 갈고 있다. 이를 통해 신석기 시대를 묘사한 것임을 알 수 있다. 신석기 시대에는 농경과 목축이 시작되었다.
| 바로 알기 | ①은 구석기 시대, ②, ③, ⑤는 청동기 시대 사람들의 대화로 적절한 말이다.

3 철기 문화가 보급되기 시작하면서 청동기 제작 기술도 발전하였다. 비파형 동검은 세형 동검으로 발전하였는데 주로 한반도에서 출토되어 '한국식 동검'이라고 불린다.

4 제시된 고인돌과 미송리식 토기는 청동기 시대 유적과 유물이다. 청동기 시대에는 농경과 목축의 발달로 생산력이 향상되면서 사유 재산이 생기고, 빈부 격차가 커지면서 계급이 발생하였다. 주변 부족과의 싸움이 빈번해지면서 권력과 재산을 가진 지배자, 군장이 등장하였다. 군장은 청동 거울, 청동 방울 등 의례 도구를 착용하고 제사를 주관하였다. 그러나 청동은 구하기 힘들어 농기구는 여전히 석기를 사용하였다.
| 바로 알기 | ③은 철기 시대에 대한 설명이다.

5 제시된 글은 고조선에서의 위만의 집권을 나타내고 있다. 위만이 집권한 이후 고조선은 본격적으로 철기 문화를 수용하였다. 철기의 사용으로 농업이 발전하고 세력이 커졌다.
| 바로 알기 | ① 삼국은 불교를 수용하여 사상을 통합하고 왕실의 권위를 높였다. ②, ③, ⑤는 고구려에서 있었던 사실들이다.

6 자료의 내용을 보아 제시된 법은 고조선의 '8조법'임을 알 수 있다. 엄격한 법률을 통해 사회 질서를 유지하였던 고조선은 왕 밑에 상, 대부, 장군과 같은 관직을 두었다.
| 바로 알기 | ①은 고구려, ②는 부여, ③은 부여, 고구려, 옥저, 동예, 삼한, ④는 옥저와 동예에 대한 설명이다.

7 청동기 시대에 등장한 우리 역사 최초의 국가는 고조선이다. 고조선의 건국 이야기는 『삼국유사』에 기록되어 있다. 고조선은 '8조법' 등 엄격한 법률을 통해 사회 질서를 유지하려 하였다.

| 바로 알기 | ①은 동예, ②는 삼한 중 변한, ③은 부여, ④는 삼한에 대한 설명이다.

8 가상 일기의 '나'는 이웃 부족의 경계를 침범해 노비, 소, 말로 배상하게 되었는데, 이것은 책화라는 동예의 풍습을 묘사한 것이다. 동예는 특산물로 단궁, 과하마, 반어피가 유명하였다.
| 바로 알기 | ①은 신라, ②는 백제, ③은 부여, ⑤는 옥저에 대한 설명이다.

9 부여에는 엄격한 법이 있어서 사람을 죽인 자는 사형에 처하고 도둑질을 한 자는 열두 배를 배상하게 하였다. 왕이나 귀족이 죽으면 사람을 함께 묻는 순장 풍습도 존재하였다.
| 바로 알기 | ㄱ. 부여는 매년 12월에 제천 행사를 열었다. ㄷ. 삼한에 있던 소도라는 신성 지역에는 군장의 힘이 미치지 못하였다.

10 10월에 동맹이라는 제천 행사를 열었던 나라는 고구려이다. 고구려에는 남자가 일정 기간 동안 처가에서 생활하는 서옥제의 혼인 풍습이 있었다.
| 바로 알기 | ①은 백제, ②는 신라, ③은 부여, ④는 고조선에 대한 설명이다.

11 (가)는 부여, (나)는 고구려, (다)는 옥저, (라)는 동예, (마)는 삼한이 있었던 곳이다. 가족 공동 무덤을 만들었던 나라는 옥저이다.

12 제사와 정치가 분리되어 있던 삼한에는 제사 의식을 주관하는 천군이라는 제사장이 별도로 있었다.
| 바로 알기 | ① 서옥제는 (나) 고구려의 혼인 풍습이다. ② 무천은 (라) 동예의 제천 행사이다. ③ 제가 회의는 (나) 고구려에서 국가 중대사를 결정하던 회의이다. ④ (마) 삼한의 변한에서 질 좋은 철이 많이 생산되어 낙랑과 왜에 수출하였다.

13 왜의 침입을 받은 신라는 고구려의 광개토 대왕에게 도움을 요청하여 고구려군의 지원을 받아 왜를 격퇴하였다. 이를 계기로 신라는 고구려의 정치적 간섭을 받게 되었다. 왜를 추격하는 과정에서 고구려군이 금관가야를 공격하여 금관가야가 큰 타격을 입고 쇠퇴하였다.
| 바로 알기 | ㄴ은 고구려의 남진 정책의 결과이다. ㄹ은 진흥왕이 적극적으로 영토 확장 정책을 편 결과이다.

14 백제 초기의 계단식 돌무지무덤이 고구려 초기에 많이 조성된 돌무지무덤과 유사하다. 이를 통해 백제를 세운 중심 세력이 고구려 계통임을 알 수 있다. ⑤ 서울 석촌동 고분에는 내부와 외부를 모두 돌로 쌓은 고구려식 무덤이 있다.
| 바로 알기 | ①은 비파형 동검이다. 고조선의 문화 범위와 관련된다. ②는 호우명 그릇이다. 5세기 초 신라가 고구려의 정치적 간섭을 받았음을 알 수 있다. ③은 칠지도이다. 백제와 왜의 긴밀한 관계를 알 수 있다. ④는 단양 신라 적성비이다. 신라 진흥왕이 고구려 영역인 적성을 점령한 후 세운 비석이다.

15 연표에서 (가) 시기는 백제가 웅진을 도읍으로 삼았던 웅진 시기이다. 남진 정책을 편 장수왕이 한성을 점령하자, 백제는 웅진으로 천도하였다. 백제는 웅진 천도 이후 내분으로 한동안 위기 상태가 지속되었으나, 무령왕 때 지방에 22담로를 설치하여 지방 통제를 강화하는 등 통치 체제를 재정비하였다.

바로 알기 | ①은 한성 시기인 침류왕 때, ②는 한성 시기인 근초고왕 때, ④는 한성 시기인 고이왕 때 마련되었다. ⑤는 사비 시기의 사실이다. 사비로 천도한 것이 성왕이다.

16 이사금은 박씨, 석씨, 김씨가 돌아가며 왕위를 차지할 때의 왕호이다. 내물왕 때부터 대군장을 뜻하는 마립간이라는 칭호가 사용되었다.

17 내물왕 때에는 왕의 칭호가 대군장을 뜻하는 '마립간'으로 바뀌었다. 이는 이전 시대에 비해 왕의 권력이 강해졌음을 나타낸다. 이때부터 김씨가 왕위를 독점하였다. 지증왕 때 왕의 칭호로 '왕'이 사용되었다.
바로 알기 | ①, ②는 법흥왕 때, ③은 지증왕 때, ④는 진흥왕 때의 사실이다.

18 검색 결과 화면에서 관산성 전투, 대가야 정복, 화랑도 정비를 통해 검색어 (가)는 진흥왕임을 알 수 있다. 진흥왕은 고구려와 백제로부터 한강 유역을 빼앗아 차지하였으며, 가야 연맹을 복속하였고 동해안을 따라 함흥평야 일대까지 진출하였다.
바로 알기 | ①은 백제 근초고왕, ②는 고구려 소수림왕, ③은 고구려 장수왕, ⑤는 신라 법흥왕의 업적이다.

19 고구려 소수림왕은 불교를 수용하였고, 백제는 침류왕 때 불교가 수용되었다. 신라 법흥왕은 불교를 공인하였다.
바로 알기 | ① 소수림왕과 법흥왕이 율령을 반포하였다. ② 소수림왕이 태학을 설립하였다. ③ 고구려 광개토 대왕과 백제 법흥왕이 독자적인 연호를 사용하였다.

20 (가)는 백제 근초고왕이 한강 유역을 차지하고 마한 세력을 모두 복속한 4세기, (나)는 고구려 장수왕이 한강 유역을 포함한 한반도 중부까지 영역을 확장한 5세기의 지도이다. 장수왕은 수도를 평양으로 옮기고 적극적으로 남진 정책을 추진하였다. 이에 위기감을 느낀 백제와 신라는 동맹을 맺고 대항하였다.
바로 알기 | ㄴ. 신라가 한강 유역을 차지한 것은 6세기 진흥왕 때의 일이다. ㄹ. 백제는 6세기 성왕 때 남부여라는 국호를 사용하였다.

21 밑줄 친 '이 국왕'은 광개토 대왕이다. 호우명 그릇의 바닥에 새겨진 '국강상광개토지호태왕'은 광개토 대왕을 가리킨다. 광개토 대왕은 신라의 구원 요청을 받고, 신라에 침입한 왜를 격퇴하였다.
바로 알기 | ①은 고구려 고국천왕, ②는 고구려 미천왕, ③은 고구려 장수왕, ④는 신라 진흥왕에 대한 설명이다.

22 지도에서 가야 연맹을 이룬 나라들 중 고령에 위치한 (가)는 대가야, 김해에 위치한 (나)는 금관가야이다. 진흥왕 때 (가) 대가야가 멸망함으로써 가야 연맹은 소멸하였다. (나) 금관가야는 우수한 철기를 만들어 왜와 낙랑에 수출하였다.
바로 알기 | ㄱ. 전기 가야 연맹을 이끈 것은 금관가야이다. 대가야는 후기 가야 연맹을 이끌었다. ㄷ. 가야 연맹은 중앙 집권 국가로 발전하지 못한 채 멸망하였다.

23 익산 미륵사지 석탑은 백제 무왕이 만든 미륵사의 터에 남아 있는 백제의 석탑이다. 현존하는 석탑 중 가장 크고 오래되었다. 석탑이지만 목탑 양식을 가지고 있다.

24 제시된 글의 (가)는 도교이다. 백제 금동 대향로에는 도교 사상이 반영되어 봉황, 산천과 동물, 용 등이 표현되어 있다.
바로 알기 | ②는 금동 연가 7년명 여래 입상이다. 고구려의 불교 예술품이다. ③은 경주 첨성대로, 신라에서 천체 관측을 위해 만든 것으로 여겨진다. ④는 부여 정림사지 5층 석탑이다. 백제의 불교 예술품이다. ⑤는 탁자식 고인돌로 고조선의 문화 범위를 나타내는 유적이다.

25 왼쪽 사진은 고구려 덕흥리 고분 안에 그려진 천문도이며, 오른쪽 사진은 신라에서 만든 천문 관측기구로 추정되는 경주 첨성대이다. 삼국에서는 천문학과 역법을 중시하였다. 천체 현상이 왕의 권위와 연결되었다고 여겼고, 농업에 천체 관측이 중요하였기 때문이다.
바로 알기 | ㄱ은 도교의 신봉, ㄷ은 불교의 수용과 관련이 있다.

26 자료는 돌무지덧널무덤의 구조도이다. 돌무지덧널무덤은 신라에서 만들어졌으며, 도굴이 어려워 많은 껴묻거리가 보존되어 있다.
바로 알기 | ㄴ은 굴식 돌방무덤 등에 대한 설명이다. ㄷ은 백제 무령왕릉에 대한 설명이다.

27 평안남도 강서군에 위치한 강서대묘는 고구려의 고분이다. 고구려 장수왕이 아버지 광개토 대왕의 업적을 기리기 위해 광개토 대왕릉비를 건립하였다.
바로 알기 | ①은 백제, ②는 고조선, ④는 신라, ⑤는 부여에 대한 설명이다.

28 첫 번째 자료는 백제가 왜에 보낸 칠지도, 두 번째 자료는 4세기 백제의 영토 확장과 교류를 나타낸 지도이다. 따라서 두 자료를 가지고 백제와 왜의 활발한 교류를 탐구할 수 있다.

I. 선사 문화와 고대 국가의 형성(2회)   p. 63~67

1 ③   2 ②   3 ③   4 ④   5 삼국유사   6 ⑤   7 ④   8 ⑤
9 옥저   10 ④   11 ②   12 ④   13 ⑤   14 ⑤   15 ④   16 ④
17 ③   18 ②   19 ④   20 ⑤   21 ②   22 ⑤   23 ⑤   24 ④
25 ③   26 첨성대   27 ④   28 ④   29 ①

1 주먹도끼, 찍개 등 뗀석기가 출토되었다는 것을 통해 밑줄 친 '이 시대'가 구석기 시대임을 알 수 있다. 구석기 시대에는 사냥과 채집으로 식량을 구하였으며, 이를 위해 무리를 지어 이동하며 생활을 하였다.
| 바로 알기 | ①, ⑤는 신석기 시대, ②는 철기 시대, ④는 청동기 시대의 생활 모습이다.

2 갈돌과 갈판, 빗살무늬 토기, 가락바퀴, 움집 등을 통해 (가) 시대는 신석기 시대임을 알 수 있다. 신석기 시대에는 농경과 목축이 시작되었다.
| 바로 알기 | ①은 청동기 시대, ③, ④는 청동기 시대 말기부터 초기 철기 시대, ⑤는 철기 시대의 사실이다.

3 고인돌은 주로 청동기 시대 지배층의 무덤이다. 청동기 시대 사람들은 청동 방울, 청동 거울(거친무늬 거울), 청동 검(비파형 동검) 등을 제사 등의 용도로 사용하였고, 농사짓는 데에는 석기를 사용하였는데 반달 돌칼이 그 중 하나였다.
| 바로 알기 | ③ 슴베찌르개는 뗀석기로 주로 구석기 시대 사람들이 사용하였다.

4 제시된 자료는 고조선의 건국 이야기로, 곰과 호랑이 부분에서 특정 동물 숭배 신앙이 있었음을 알 수 있고, 환웅과 웅녀의 결합을 통해 부족 간의 연맹을 유추할 수 있다.
| 바로 알기 | ㄱ. 단군왕검이라는 용어를 통해 제정일치 사회임을 알 수 있다. ㄷ. 씨족 단위로 평등한 생활을 한 것은 신석기 시대이다. 고조선은 계급이 이미 발생한 청동기 시대에 출현하였다.

5 제시된 고조선의 건국 이야기는 고려 후기에 승려 일연이 저술한 『삼국유사』에 실려 있다.

6 랴오닝 지방에서 발달한 농경 문화와 청동기 문화를 토대로 건국된 나라는 고조선이므로, 자료의 밑줄 친 '이 국가'는 고조선이다. 고조선의 문화 범위는 탁자식 고인돌, 비파형 동검 등의 분포를 통해 확인할 수 있다.
| 바로 알기 | ㄱ. 얼굴 모양 조개껍데기는 신석기 시대의 유물이다. ㄴ. 가락바퀴도 신석기 시대의 유물이다.

7 자료에 제시된 대로 5월과 10월 두 차례 제천 행사를 열었던 곳은 삼한이다. 삼한에서는 소국을 다스린 군장을 신지, 읍차라고 불렀다.
| 바로 알기 | ①, ⑤는 부여, ②, ③은 고구려에 대한 설명이다.

8 12월에 제천 행사를 열었던 나라는 부여이며 그 명칭은 영고이다.
| 바로 알기 | ①은 고구려의 제천 행사, ②는 고구려의 혼인 풍속에서 사위가 거주하는 집, ③은 삼한의 신성 지역이다. ④는 나뭇가지에 새 등의 모양을 세운 것으로, 마을의 수호신으로 여기기도 하고 마을의 경계를 표시하거나 정월에 풍년을 기원하기 위해 세웠다. 소도에서 유래한 것으로 보고 있다.

9 옥저에서는 가족이 죽으면 임시로 시체를 매장하였다가 나중에 뼈만 추려서 가족 공동 무덤에 매장하였다.

10 고구려에서는 왕과 부족 대표인 대가들이 모인 제가 회의에서 나라의 중요한 일을 결정하였다.

11 가로 2의 정답이 '옥저'이므로 세로 1의 정답은 '○옥제'인데 세로열쇠를 보면 고구려와 관련된 것이므로, 서옥제임을 짐작할 수 있다. 고구려에는 혼인을 하면 남자가 일정 기간 동안 처가에서 사는 서옥제의 혼인 풍습이 있었다.
| 바로 알기 | ①은 태학, ③은 진대법, ④는 평양, ⑤는 충주 고구려비에 해당하는 설명이다.

12 고구려에서는 소수림왕 때 태학 설치, 율령 반포, 불교 수용 등으로 중앙 집권 체제를 확립하였다. 이를 토대로 광개토 대왕이 대규모 정복 활동을 펼치고, 신라에 침입한 왜를 격퇴하였으며 이 과정에서 금관가야가 큰 타격을 입었다. 따라서 자료의 밑줄 친 부분이 전개된 시기는 (라)이다.

13 자료의 '○○왕'은 고구려의 장수왕이다. 그는 수도를 평양으로 옮기고 적극적으로 남진 정책을 실시하여 마침내 백제 수도 한성을 공격하여 함락하였다.

14 대화의 밑줄 친 '왕'은 백제 성왕이다. 그는 신라와 연합하여 고구려로부터 한강 하류 지역을 되찾았으나, 신라의 배신으로 다시 신라에 빼앗겼다. 이에 성왕은 신라를 직접 공격하였으나 관산성 전투에서 전사하였다. 성왕은 백제 중흥을 위해 중앙에 22부의 관청을 설치하는 등 국가 체제를 재정비하였다.
| 바로 알기 | ①은 고구려 소수림왕, 백제 침류왕, ②는 신라 지증왕, ③은 백제 근초고왕, ④는 고구려 광개토 대왕에 대한 설명이다.

15 지방에 22담로를 설치하여 지방 통제를 강화하고, 활발한 대외 교류를 통해 백제 중흥의 발판을 다진 왕은 무령왕이다.

16 무령왕릉은 중국 남조의 영향을 받아 벽돌무덤 양식으로 만들어졌다. 무령왕릉에서 중국 화폐 오수전, 진묘수 등 중국과 관련된 다양한 유물이 출토되었다. 이들을 통해 백제가 중국 남조와 활발히 교류하였음을 알 수 있다.
| 바로 알기 | ① 가야의 금동관은 가야의 공예 기술이 뛰어났음을 보여 준다. ② 호우명 그릇은 신라가 고구려의 정치적 간섭을 받았음을 나타낸다. ③ 칠지도는 백제와 왜의 긴밀한 관계를 알려 준다. ⑤는 신라 진흥왕이 한강 유역을 점령한 뒤 세운 서울 북한산 신라 진흥왕 순수비이다.

17 신라에서 나라 이름을 '신라'로 확정한 것은 지증왕, 화랑도를 국가적 조직으로 재편한 것은 진흥왕 때이다. 그 사이에 일어난 일은 법흥왕 때의 금관가야 정복이다.
| 바로 알기 | ①, ②, ⑤는 고구려의 발전 과정에서 있었던 사건이다. ④ 마립간 호칭은 내물왕 때부터 사용하였다.

18 (가)는 연맹 왕국, (나)는 중앙 집권 국가를 그린 것이다. 철기의 본격적 보급과 함께 등장한 부여, 고구려, 삼한이 연맹 왕국이었다. 이 가운데 고구려, 백제, 신라가 왕 아래 기존의 지방 세력들이 귀족으로 편입된 중앙 집권 국가로 발전하였다.
| 바로 알기 | ② 고구려, 백제, 신라는 연맹 왕국 형태로 건국되었고, 점차 집권 체제를 정비하여 중앙 집권 국가로 발전하였다.

19 삼국은 중앙 집권화 과정에서 율령을 반포하여 국가의 통치 기준을 마련하였고, 불교를 수용하여 사상을 통합하려 하였다. 또한 왕권을 강화하여 왕위의 부자 상속이 확립되었으며, 기존의 부족장 세력은 귀족으로 흡수되었다.
| 바로 알기 | ④는 청동기 시대의 사실이다.

20 제시된 답사지들은 한강 주변에 있는 삼국의 유적지들이다. 이들의 답사를 통해 삼국이 한강을 차지하기 위해 경쟁하여 백제, 고구려, 신라 순으로 한강 유역을 차지하였음을 알 수 있다.

21 (가)는 고구려가 한강 유역을 비롯한 한반도 중부까지 차지한 5세기, (나)는 백제가 한성에 도읍하고 영역을 확장한 4세기, (다)는 신라가 한강 유역을 차지한 6세기의 지도이다. 따라서 시대순으로 나열하면 (나)-(가)-(다)이다.

22 (가)는 고구려가 한강 유역을 비롯한 한반도 중부까지 차지하였던 5세기 장수왕 때의 지도이다. 고구려 장수왕이 평양으로 천도하고 남진 정책을 추진하자 고구려에 함께 대항하기 위해 백제와 신라는 동맹을 맺었다.
| 바로 알기 | ① 고구려 장수왕이 남진 정책을 펼치면서 백제의 수도 한성을 점령하자, 백제는 웅진으로 천도하였다. 당시 수도는 웅진이다. ② 고구려는 4세기 소수림왕 때 율령을 반포하였다. ③ 신라는 4세기 후반 내물왕 때부터 왕호를 마립간이라고 하였다. ④ 광개토 대왕의 공격으로 당시 금관가야는 쇠퇴하였다. 이후 대가야가 후기 가야 연맹을 주도하였다.

23 (다)는 신라가 한강 유역을 차지한 6세기 진흥왕 때의 지도이다. 진흥왕 때 신라는 한강 유역을 차지하며 중국과 직접 교류할 수 있게 되었고, 역사서인 『국사』를 편찬하였다. 또한 지증왕 때 우산국을 정벌하였고 법흥왕 때 율령을 반포하였으므로, 진흥왕 때에는 우산국 지배 및 율령에 의한 통치가 계속 이어졌다.
| 바로 알기 | ⑤ 이사금이라는 왕호를 사용한 시기에 세 성씨가 왕위를 교대로 이었다. 내물왕 때 김씨의 왕위 독점이 이루어지고 왕호가 마립간으로 바뀌었으며, 지증왕 때 왕으로 호칭이 바뀌었다.

24 (가)에는 백제의 불교 예술 작품이 들어가야 한다. 부여 정림사지 5층 석탑이 백제의 탑이며, 서산 용현리 마애 여래 삼존상은 '백제의 미소'로 널리 알려진 백제의 불상이다.
| 바로 알기 | ㄱ은 신라의 탑, ㄷ은 고구려의 불상이다.

25 백제 산수무늬 벽돌에는 자연과 더불어 사는 것을 추구하는 도교적 이상이 담겨 있다. 고분 벽화 중 사신도는 도교에서 동서남북을 지키는 사신을 그린 그림이다. 도교는 불로장생을 추구하는 신선 사상을 중심으로 형성된 신앙으로 당시 귀족 사회의 환영을 받았다.
| 바로 알기 | ㄱ, ㄹ은 불교에 대한 설명이다.

26 제시된 사진의 유적은 7세기에 건립된 신라의 천문 관측기구인 첨성대이다.

27 삼국에서는 중앙 집권 체제를 강화하면서 역사서를 편찬하였다. 고구려 영양왕 때에 편찬된 『신집』 5권은 『유기』를 간추린 것으로, 『유기』는 소수림왕 때 편찬된 것으로 추정된다. 백제 근초고왕이 『서기』, 신라 진흥왕이 『국사』를 편찬하였다.

28 자료는 경주 천마총 장니 천마도이다. 신라의 돌무지덧널무덤인 천마총에서 출토된 유물로, 말의 안장 양쪽에 달아 늘어뜨리는 장니에 천마를 그린 그림이다. 돌무지덧널무덤은 도굴이 어려워 많은 껴묻거리가 보존되어 있다.
| 바로 알기 | ①은 벽돌무덤, ②는 계단식 돌무지무덤에 대한 설명이다. ③ 돌무지덧널무덤은 신라에서 만들어졌다. ⑤는 굴식 돌방무덤 등에 대한 설명이다.

29 벽화 속 여인들의 의상뿐만 아니라 벽화 제작 기술과 화풍 등이 매우 비슷한 점으로 보아 일본의 다카마쓰 고분 벽화는 고구려 고분 벽화의 영향을 받은 것으로 여겨진다.

II. 남북국 시대의 전개(1회)   p. 68~70

1 ③   2 ②   3 고구려(고려)   4 ①   5 ③   6 ②   7 ④
8 ②   9 ③   10 ④   11 ⑤   12 ⑤   13 ②   14 ⑤   15 ⑤
16 ④   17 ③   18 ③

1 제시된 지도는 고구려와 수의 전쟁을 나타내고 있다. 수가 고구려에 복속을 요구하자, 고구려는 이를 거절하고 요서 지방을 공격하였다. 이에 수의 문제, 양제가 고구려가 침략하였으나 고구려가 이를 막아 냈다. 이때 을지문덕은 살수 대첩을 이끌었다. 계속된 고구려 원정으로 국력을 소모한 수는 결국 각지에서 반란이 일어나 멸망하였다.
| 바로 알기 | ③ 당 태종이 고구려를 압박하자 고구려는 국경 지역에 천리장성을 쌓고 당의 침입에 대비하였다.

2 제시된 가상 인터뷰는 백제의 부흥 운동 주도자 중 복신을 인터뷰한 것이다. 백제 멸망 후 복신과 도침은 왜에 있던 왕자 부여풍을 왕으로 맞이하여 주류성에서 백제 부흥 운동을 일으켰고, 흑치상지는 임존성에서 군사를 일으켰다.

3 대조영은 고구려 장수 출신으로 고구려 유민과 말갈인 일부를 이끌고 발해를 건국하였다. 당시 기록에는 고구려가 고려라고 표기되어 있다.

4 문무왕의 아들로 감은사를 완성하였던 (가)는 신문왕이다. 신문왕은 통치 체제를 정비해 강력한 왕권을 확립하였고, 국학을 설치해 왕권을 뒷받침할 유학적 소양을 지닌 인재를 양성하였다.

5 신라는 통일 후 넓어진 영토와 늘어난 인구를 다스리기 위해 지방 행정 제도를 새로 정비하였다. 전국을 9주로 나누고 수도가 동남쪽에 치우친 점을 보완하기 위해 주요 지방에 5소경을 설치하였다. 신문왕은 토지 제도를 정비해 관리에게 관료전을 지급하고 귀족의 경제적 기반이 되었던 녹읍을 폐지하였다.

6 통일 후 신라는 왕명 수행 기관으로 집사부를 설치하였고, 집사부를 중심으로 중앙 정치를 운영하였다. 그 결과 중앙 집권이 강화되어 왕권이 강해졌고, 귀족 세력이 약화되었다. 집사부의 장관인 시중의 권한은 강해진 반면, 귀족 회의인 화백 회의 기능이 약화되었고, 귀족 대표인 상대등의 세력도 약해졌다.

7 (다) 대조영이 건국한 발해는 무왕, 문왕을 거쳐 발전하였고, 선왕 때 전성기를 맞았다. (가) 무왕은 장문휴를 앞세워 당의 산둥반도를 공격하였다. (나) 문왕은 당과의 관계를 개선하여 당의 문물을 받아들였다. (라) 선왕은 연해주와 요동 지방까지 영토를 넓혀 전성기를 이루었다.

8 지도의 (가)는 발해이다. 발해는 9세기 말에 지배층의 권력 다툼으로 국력이 크게 약해졌고, 결국 당이 멸망한 틈을 타 세력을 키운 거란의 침략을 받아 10세기 초에 멸망하였다.
| 바로 알기 | ㄴ. 나당 연합군의 공격으로 멸망한 나라는 백제와 고구려이다. ㄷ. 무왕이 활발한 정복 활동을 펼쳐 만주 북부 지역까지 영토를 넓히자 당은 흑수 말갈과 신라를 끌어들여 발해를 압박하였다.

9 제시된 도표는 발해의 중앙 정치 제도를 나타낸 것이다. 발해는 당의 3성 6부제를 받아들여 중앙 정치 제도를 조직하였다. 그러나 3성은 발해의 실정에 맞게 정당성을 중심으로 운영하고, 정당성 아래에 6부를 두어 행정 실무를 담당하게 하였다. 발해는 최고 교육 기관으로 주자감을 설치하여 유학을 가르쳤다.
| 바로 알기 | ③ 문적원은 서적과 외교 문서 작성을 담당하는 기구이다. 관리의 비리를 감찰했던 기구는 중정대이다.

10 신라 말에 지방에서 성장한 호족은 자신의 근거지에 성을 쌓고 스스로를 성주 또는 장군이라 부르며 지방의 군사와 행정을 장악하였다.
| 바로 알기 | ㄱ. 호족은 대부분 토착 세력인 촌주 출신이었으며, 중앙에서 내려온 귀족, 해상 세력, 군진 세력이 성장한 경우도 있었다. ㄷ. 학식을 갖춘 6두품은 삼국 통일 직후 강력한 왕권이 확립되자 왕의 정치적 조언자로 성장하였다.

11 6두품 출신 최치원은 당에 유학하여 빈공과에 합격하였고, 황소의 난을 토벌해야 한다는 격문을 써서 당에서 문장가로 이름을 떨쳤다. 귀국하여 진성 여왕에게 개혁안을 제출하였으나 진골 귀족들의 반대로 받아들여지지 않았다. 이후 관직을 버리고 전국을 다니며 많은 글을 남겼다.

12 9세기 후반에는 진골 귀족의 왕위 쟁탈전으로 신라의 정치가 동요하고 귀족이 농민을 지나치게 수탈하였다. 여기에 자연재해까지 겹쳐 살기가 더욱 힘들어진 농민은 노비나 도적이 되기도 하였다. 이러한 상황에서 신라 정부가 세금 납부를 독촉하자 농민들은 분노를 표출하여 봉기를 일으켰다. 독서삼품과 설치는 788년, 신라 멸망은 935년의 일이다.

13 지도의 (가)는 후백제이다. 서남해안을 지키는 군진의 장교 출신인 견훤이 세력을 키워 백제의 부흥을 내세우며 완산주를 도읍으로 하여 후백제를 세웠다.
| 바로 알기 | ㄴ, ㄹ. 신라의 왕족 출신으로 알려진 궁예는 고구려 부흥을 내세우며 송악에서 후고구려를 세웠다. 이후 나라 이름을 마진으로 고쳤고, 철원으로 도읍을 옮긴 뒤 다시 태봉으로 고쳤다.

14 삼국 통일 이후 신라는 왕권 강화와 체제의 안정을 위해 유학을 정치 이념으로 삼았다. 원성왕은 독서삼품과를 시행하여 국학 학생의 경전 이해 수준을 평가하여 관리로 등용하였다.

15 무구정광대다라니경은 경주 불국사 3층 석탑 2층에서 발견된 두루마리 형식의 불경이다. 8세기 중반에 만든 것으로, 현재 전해지는 세계에서 가장 오래된 목판 인쇄물이다. 당시 신라의 제지술과 목판 인쇄술의 수준을 알 수 있다.
| 바로 알기 | ①은 김대문이 쓴 책으로 신라 화랑들의 이야기를 담고 있다. ②는 신라의 젊은이들이 유학 공부를 맹세한 내용이 새겨진 비석이다. ③은 신라 승려 혜초가 인도와 중앙아시아의 다섯 천축국을 다녀와서 쓴 기행문이다. ④는 신라의 촌주들이 3년마다 작성한 호구 조사 문서이다.

16 제시된 사진은 화순 쌍봉사 철감 선사 탑이라는 신라의 승탑이다. 신라 말에 선종이 지방 사회를 중심으로 유행하면서 선종 승려의 사리나 유골을 담은 승탑과 그의 일대기를 기록한 탑비가 만들어졌다.

17 제시된 발해 토기, 발해 치미, 발해 막새는 모양이나 무늬가 고구려의 것과 많이 닮아 있어 발해가 고구려 문화의 전통을 계승하였음을 알려 주는 유물들이다.

18 발해는 당으로 가는 조공도, 영주도와 함께 거란도, 일본도, 신라도를 설치하여 당, 거란, 일본, 신라 등과 교류하였다. 동경에서 신라에 이르는 신라도는 발해와 신라가 적대 관계에만 머문 것이 아니라 교류가 이루어졌음을 짐작하게 한다.

Ⅱ. 남북국 시대의 전개(2회)   p.71~73

1 ⑤	2 ①	3 ③	4 ④	5 ③	6 ⑤	7 ③	8 ③
9 ⑤	10 ③	11 ④	12 ⑤	13 ⑤	14 ②	15 혜초	
16 ④	17 ①	18 ④					

1 지도의 (가)는 안시성 싸움이다. 당 태종은 연개소문의 정변을 구실로 고구려를 직접 침입하였다. 당은 요동성, 백암성 등을 차례로 무너뜨리고 안시성을 포위하였으나 안시성 성주와 백성들의 끈질긴 저항을 이겨내지 못하였다.
| 바로 알기 | ①은 관산성 전투, ②는 살수 대첩, ③은 백강 전투, ④는 나당 전쟁 중 기벌포 전투에 대한 설명이다.

2 삼국 통일 과정은 (나) 신라의 위기 → (다) 나당 동맹 체결 → (가) 백제 멸망 → (라) 고구려 멸망 → (마) 나당 전쟁 순이다. 신라군은 황산벌에서 계백의 백제 결사대를 물리치고 당군과 연합한 후 사비성을 함락하여 백제를 멸망시켰다.

3 발해는 옛 고구려 장수 출신인 대조영이 고구려 유민과 말갈인을 이끌고 건국하였는데, 발해의 건국으로 남쪽의 신라와 북쪽의 발해가 함께 존재하는 남북국의 형세를 이루게 되었다. 발해 주민 중에는 대씨뿐만 아니라 고구려 왕족 출신인 고씨도 많았다. 발해는 고구려 유민이 중심이 되어 세운 나라인 만큼 고구려 계승 의식이 강하였다.
| 바로 알기 | ③ 발해의 지배층에는 고구려 유민이 많았고, 말갈인이 일부 포함되었다.

4 신라에서 나당 동맹을 위해 당에 파견된 사람인 (가)는 김춘추이다. 그는 진골 출신으로는 처음으로 왕위에 올라 태종 무열왕이 되었다.
| 바로 알기 | ①은 문무왕, ②는 신문왕, ③은 김유신, ⑤는 최치원에 대한 설명이다.

5 문무왕의 아들로 국학을 설치하여 인재를 양성한 것은 신문왕이다. 그는 김흠돌의 난을 진압하여 진골 귀족 세력을 약화시키고 9주 5소경, 9서당 10정 등 여러 제도를 정비해 강력한 왕권을 확립하였다.

6 통일 이후 신라는 전국을 9주로 나누고 주요 지방에는 5소경을 설치하여 수도 금성(경주)이 동남쪽에 치우쳐 있어서 생기는 단점을 보완하고자 하였다.

7 선왕 때 발해는 연해주와 요동 지방까지 영토를 확대하여 고구려 영토의 대부분을 차지하였다. 이후 발해는 중국으로부터 '해동성국'이라고 불리며 전성기를 이루었다.
| 바로 알기 | ①은 발해 마지막 왕 때의 사실이다. ②는 신라 문무왕, ④는 발해 문왕, ⑤는 신라 신문왕 때의 사실이다.

8 발해의 3성은 정당성, 선조성, 중대성이다. 당에서는 정책을 세우고 심의하는 중서성이 정치의 중심이었으나, 발해에서는 정책을 집행하는 정당성이 정치의 중심이었고, 정당성 아래에는 6부를 두어 행정 실무를 담당하게 하였다.
| 바로 알기 | ①은 발해의 서적과 외교 문서 담당 기구, ②, ④는 발해 3성에 속하는 기구, ⑤는 발해의 관리 감찰 기구이다.

9 자료의 설명에 해당하는 국가는 발해이다. 발해의 무왕은 인안, 문왕은 대흥, 선왕은 건흥이라는 연호를 사용하였다. 발해는 지방 행정 제도를 5경 15부 62주로 조직하였다. 정치적·군사적으로 중요한 지역에 5경을 두었고, 지방 행정의 중심지에는 15부를 두었으며, 그 아래 주·현을 두고, 지방관을 파견하였다.
| **바로 알기** | ⑤ 발해는 말갈인 촌락은 토착 세력인 말갈 수령이 다스리게 하여 고구려인과 말갈인의 조화를 꾀하였다.

10 지도는 신라 말에 일어난 지방민의 봉기를 나타내고 있다. 신라 말에는 진골 귀족들의 권력 다툼이 심해지자 지방 세력이 왕위 쟁탈전에 개입하기도 하였다. 이후 신라 정부의 지방에 대한 통제력이 크게 약해지자 지방에서 유력자의 대토지 소유와 수탈이 늘어나면서 농민의 생활은 곤궁해졌다. 이런 상황에서 농민들은 봉기하였다.
| **바로 알기** | ㄱ, ㄹ. 삼국 통일 이후 신라에서는 강력한 왕권이 확립되었고, 왕권 강화 과정에서 진골 귀족 세력이 약해지고, 6두품 세력이 왕의 정치적 조언자로 성장하였다.

11 제시된 글이 설명하고 있는 종교는 선종이다. 선종은 신라 말에 유행하였는데 이때 진골 귀족의 왕권 쟁탈전이 심하여 왕권은 약화되었다. 지방에서는 호족이 성장하였고 지방의 중요성을 일깨워 준 풍수지리설이 유행하였다. 정부의 수탈, 흉년과 자연재해로 농민의 삶이 어려워지면서 농민 봉기가 일어났다.
| **바로 알기** | ④ 녹읍은 삼국 통일 직후인 7세기 말 신문왕 때 폐지되었다가 얼마 지나지 않은 8세기 후반 경덕왕 때 다시 부활하였다.

12 신라 말에 유행한 선종은 교종과 달리 경전에 의지하지 않고 일상생활에서의 깨달음을 중시하였다. 풍수지리설은 경주 중심의 지리 개념에서 벗어나 지방의 중요성을 강조하였다. 따라서 선종과 풍수지리설은 새로운 사회를 건설하려 하는 지방 호족의 사상적 기반이 되었다.

13 원효는 백성에게 어려운 불교 교리 대신 나무아미타불만 외우면 극락정토에 갈 수 있다고 가르쳐 불교의 대중화에 힘썼다. 한편, 화쟁 사상을 주장하여 불교 종파 간 사상적 대립을 해결하려 하였다.
| **바로 알기** | ①은 의상, ②는 설총, ③은 혜초, ④는 도선에 대한 설명이다.

14 화강암으로 만든 돔 형태의 인공 석굴 사원인 석굴암은, 중앙의 본존상과 여러 조각이 불교 조각의 최고 경지를 보여 주며, 내부 구조와 본존상에 정밀한 수학적 지식이 적용되어 조화롭게 배치되어 있다. 1995년에 유네스코 세계 유산에 등재되었다.

15 혜초는 인도와 중앙아시아를 순례하고 『왕오천축국전』을 저술하였다. 다섯 천축국을 순례하며 4년 동안 보고 들은 내용을 기록한 이 책에는 인도와 중앙아시아 여러 나라의 풍속과 지리, 역사 등이 기록되어 있다.

16 발해는 고구려 유민이 중심이 되어 세운 나라로 고구려 계승 의식이 강하였고, 고구려 문화를 기반으로 하고 있다. 발해의 상경성 유적에서 고구려 문화의 전통을 이어받은 온돌 시설과 불상, 기와 등이 발견되었다. 정혜 공주 묘는 고구려 고분 양식을 계승하여 모줄임천장 구조를 갖춘 굴식 돌방무덤이다.
| **바로 알기** | ④ 상경성은 당의 장안성을 모방하여 외성, 내성을 갖추고 주작대로를 중심으로 바둑판 구조로 설계되었다.

17 당시 당에서는 당삼채가 유행하였다. 발해의 삼채는 당의 삼채 기법을 받아들여 세 가지 유약을 발라 색을 입힌 도자기였다.

18 지도의 (가)는 발해, (나)는 신라이다. 발해는 당과 신라를 견제하기 위해 일본과도 친선 관계를 맺고 모피, 인삼 등을 일본에 수출하였다. 발해는 문왕 때 당과 친선 관계를 맺은 뒤 승려와 학생을 통해 당의 선진 문물을 받아들였다. 신라의 울산항에는 아라비아 상인도 왕래하여 신라의 이름이 이슬람 세계에 알려졌다. 발해는 신라도를 통해 신라와 교류하였다.
| **바로 알기** | ④ 통일 신라는 나당 전쟁으로 악화된 관계를 회복한 후 당과 교류하였다. 사신, 유학생, 승려 등이 당의 선진 문화를 들여왔다.

1 ④	2 ①	3 ①	4 ②	5 ④	6 ④	7 ③	8 최충헌
9 ①	10 ①	11 ②	12 ⑤	13 ②	14 ③	15 ①	16 ②
17 ④	18 ③	19 ④	20 ④	21 ②	22 ①	23 ⑤	

1 고려는 후삼국을 통일하는 과정에서 거란에 멸망한 발해 유민까지 받아들여 민족의 재통합을 이루었다. 이로써 고려는 새로운 민족 문화를 발전시킬 토대를 마련하였다.

2 자료는 태조가 후대 왕에게 남긴 훈요 10조이다. 태조는 후삼국 통일 중에 발해 유민을 받아들였다. 태조는 호족을 포섭하기 위해 유력한 호족과는 혼인 관계를 맺었고, 관직과 토지, 왕씨 성 등을 내려 주었다. 사심관 제도와 기인 제도를 실시하여 호족을 견제하기도 하였다. 또한 고구려 계승을 내세우며 고구려의 옛 땅을 되찾기 위해 북진 정책을 추진하였다.
| 바로 알기 | ① 광종은 쌍기의 건의에 따라서 과거제를 도입하였다.

3 자료는 노비안검법의 실시와 관련이 있다. 광종은 노비안검법을 실시하여 호족이 불법적으로 차지한 노비를 양인으로 풀어주어 호족 세력을 약화시켰다.

4 제시된 업적을 쌓은 왕은 성종이다. 성종은 최승로의 시무 28조를 받아들여 유교 사상을 바탕으로 나라의 제도를 정비하였다. 당의 3성 6부 제도를 고려의 실정에 맞게 고쳐 2성 6부 중심의 중앙 정치 기구를 만들었다. 성종은 주요 지역에 12목을 설치하여 지방관을 파견하였다.

5 고려 시대에 국왕의 비서 기관인 중추원은 군사 기밀을 다루고 왕의 명령을 전달하였다. 중추원의 고위 관료들은 중서문하성의 고위 관료와 함께 도병마사와 식목도감에서 국가의 중요한 일을 논의하였다.

6 고려는 전국을 5도와 양계, 경기로 나누어 다스렸다. 일반 행정 구역인 5도에는 안찰사를 파견하였고, 국경 지역에는 양계를 두고 병마사를 파견하였다. 수도 개경과 주변 지역을 경기라고 하였다.
| 바로 알기 | ④ 고려는 5도와 양계의 아래에 군, 현을 두었다. 군, 현은 지방관이 파견된 주현과 지방관이 파견되지 않은 속현으로 구분되었다.

7 자료와 같이 풍수지리설을 이용해 서경 천도를 주장한 것은 서경 세력이다. 묘청 등 서경 세력은 황제를 칭하고 연호를 사용할 것을 건의하였다. 서경 세력 중 묘청은 서경 천도가 개경 세력의 반대로 무산되자 서경에서 반란을 일으켰다.
| 바로 알기 | ㄱ은 무신, ㄹ은 개경 세력에 대한 설명이다. 김부식은 묘청의 서경 천도 주장에 반대하였고, 금에 대한 사대를 통한 고려의 안정을 중시하였다.

8 최충헌은 이의민을 제거하고 권력을 잡은 뒤, 교정도감을 설치하여 국가의 중요한 정책을 결정하고 집행하였으며, 도방을 확대하여 호위를 강화하였다.

9 거란의 1차 침입과 여진의 금 건국 사이에 있었던 사실은 강조의 정변을 구실로 일어난 거란의 2차 침입, 양규의 활약, 거란

의 3차 침입, 강감찬의 귀주 대첩, 나성과 천리장성 축조, 여진의 침략, 윤관의 별무반 편성 및 동북 9성 축조 등이다.
| 바로 알기 | ① 묘청의 서경 천도 운동은 금 건국 이후에 일어났다. 묘청은 서경 천도와 함께 금 정벌을 주장하였다.

10 자료는 서희의 외교 담판을 나타내고 있으므로 (가)는 거란이다. 거란은 만주 일대에서 성장하여 발해를 멸망시키고 세력을 확대하였다. 이후 송에 대한 공격을 준비하던 거란은 고려가 송과 가깝게 지내자 먼저 고려를 침략하였다. 서희는 거란 장수 소손녕과 담판을 벌여 거란과 교류할 것을 약속하는 대신 강동 6주를 고려의 영토로 인정받았다.

11 금이 거란(요)을 멸망시키고 고려에 사대 관계를 요구하자 집권하고 있던 이자겸 등이 금의 사대 요구를 받아들였다.

12 밑줄 친 '이 국가'는 고려이다. 개경에서 가까운 예성강 입구의 항구 벽란도는 고려의 국제 무역항으로 번성하였다. 당시 아라비아 상인들은 벽란도를 통해 개경으로 들어와 수은, 향료, 산호 등을 팔고 금, 비단 등을 사 갔다. 이때 고려는 '코리아'라는 이름으로 서방 세계에 알려졌다.
| 바로 알기 | ㄱ. 고려에서 무과는 대개 실시되지 않았다. ㄴ. 9서당은 통일 신라의 중앙군이다. 고려의 중앙군은 2군 6위다.

13 지도의 (가)는 삼별초이다. 무신 정권의 군사적 기반이었던 삼별초는 개경 환도에 반대하며 봉기하였다. 강화도에서 진도, 제주도로 근거지를 옮겨 가며 항전하였지만 결국 고려와 몽골 연합군에게 진압되었다.
| 바로 알기 | ㄴ, ㄹ은 별무반에 대한 설명이다. 별무반은 여진의 기병에 대항하기 위하여 편성된 기병 부대인 신기군을 중심으로 보병 부대인 신보군과 승려 부대인 항마군으로 편성되었다.

14 고려의 대외 항쟁은 거란의 침입 격퇴 → 여진 정벌 → 대몽 항쟁의 순으로 전개되었다. 거란의 침입 격퇴로는 (가) 강감찬의 귀주 대첩이 대표적이다. 윤관의 여진 정벌로 (라) 동북 9성이 세워졌다. 대몽 항쟁에는 (다) 김윤후의 처인성 전투, 몽골과의 강화 후 전개된 (나) 삼별초의 대몽 항쟁이 해당한다.

15 지도의 (가) 지역은 공민왕이 쌍성총관부를 공격하여 되찾은 영토이다. 몽골(원)은 철령 이북에 쌍성총관부, 서경에 동녕부, 제주도에 탐라총관부를 두어 고려 영토의 일부를 직접 지배하였는데, 동녕부, 탐라총관부는 충렬왕 때 돌려받았고, 쌍성총관부는 공민왕이 무력으로 회복하였다.

16 판서의 내용처럼 관제가 격하되었던 시기는 원 간섭기이다. 이 시기에는 원이 쌍성총관부 등을 두어 고려 영토의 일부를 직접 지배하였고, 특산물을 거두어 갔으며, 환관과 공녀 등 많은 사람을 원으로 끌고 갔다. 한편 원에 기대어 권력을 누리는 권문세족이 성장하였다. 이들은 높은 관직을 독점하고 불법적으로 다른 사람의 토지와 노비를 빼앗아 큰 농장을 경영하였다.
| 바로 알기 | ②는 고려에서 무신 정변이 일어나기 전의 모습이다.

17 고려 말에 등장한 권문세족은 불법적으로 다른 사람의 노비와 토지를 빼앗아 농장을 설치하였고, 세금을 내지 않았다. 게다가 가난한 백성을 자신의 농장에 숨기거나 노비로 만들어 국가에 세금을 내는 백성과 토지가 줄어들어 국가 재정이 궁핍해졌다.

18 제시된 공민왕의 개혁 정책으로 크게 성장한 정치 세력은 신진 사대부이다. 이들은 대부분 하급 관리나 지방 향리의 자제였으며, 성리학을 공부하였고, 권문세족의 비리를 비판하였다. 또한 원과 명이 교체되던 시기에 명과 화친할 것을 주장하였다.
| 바로 알기 | ③ 신진 사대부는 과거를 통해 관료가 되었다. 주로 음서를 통해 관직에 진출한 것은 권문세족이다.

19 고려 시대에는 대체로 신랑이 신부 집에 가서 혼인식을 치렀으며, 신부 집에 살면서 자녀를 낳아 길렀다.

20 무신 집권기에 지눌은 불교의 세속화를 비판하고, 수선사(정혜결사)를 중심으로 불교 개혁 운동을 펼쳤다. 또한 선종을 중심으로 교종을 포용하여 선종과 교종의 공존과 조화를 이루고자 하였다.

21 초조대장경 목판이 몽골의 침입으로 불타자 최씨 정권은 다시 8만여 장에 이르는 대장경 목판을 만들었다. 오늘날까지 잘 보존 되어 고려 목판 인쇄술의 높은 수준을 알 수 있다.

22 지금까지 전하는 가장 오래된 역사서인 『삼국사기』는 김부식이 편찬하였다. 김부식은 고려 중기 문벌 출신의 문신이자 유학자이면서 개경 세력으로, 묘청의 서경 천도 운동이 일어나자 관군의 최고 지휘관이 되어 서경의 반란군을 진압하였다.
| 바로 알기 | ②는 최승로, ③은 안향, ④는 최충, ⑤는 정도전 등에 대한 설명이다.

23 (가)는 개성 경천사지 10층 석탑이다. 개성 경천사지 10층 석탑은 고려 후기를 대표하는 석탑으로 원의 영향을 받았다. 대리석으로 만들었고, 세심한 조각들이 탑의 전면에 가득 차 있어서 화려하다.

Ⅲ. 고려의 성립과 변천(2회) p.78~81

1 ⑤	2 ③	3 ⑤	4 ②	5 최승로	6 ②	7 ③	8 ②
9 ①	10 ①	11 ②	12 ③	13 ③	14 ④	15 ②	16 ⑤
17 ④	18 ④	19 ②	20 ⑤	21 ④	22 ②	23 ④	

1 고려는 (다) 건국 후, 신라와 우호적으로 지내고 후백제와 대립하다 (나) 고창(안동) 전투에서 후백제에 승리하여 주도권을 잡았다. (라) 후백제에서 내분이 일어나 견훤이 고려에 투항하자, (가) 신라 경순왕도 더 이상 나라를 유지하기 어렵다고 판단하여 고려에 신라를 넘겨주었다. 이후 고려는 후백제를 공격해 후삼국 통일을 완성하였다.

2 밑줄 친 '다양한 노력'은 태조의 호족 포섭 정책을 의미한다. 태조는 호족을 포섭하기 위해 유력한 호족과는 혼인 관계를 맺었고, 관직과 토지, 왕씨 성 등을 내려 주었다.
| 바로 알기 | ㄱ. 태조는 고구려 계승을 내세우며 고구려의 옛 땅을 되찾기 위해 북진 정책을 추진하였다. ㄹ. 태조는 옛 신라와 후백제 세력을 지배층으로 받아들이고, 발해 유민도 포용하는 민족 통합 정책을 펼쳤다.

3 건국 직후부터 태조는 북진 정책을 추진하였다. 고구려의 수도였던 서경(평양)을 중시하여 북진 정책의 기지로 삼았다. 발해 유민을 서북 지방에 거주하게 하였고, 발해를 멸망시킨 거란을 배척하고 후대에 경계하도록 하였다. 그 결과 태조 말에 고려의 영토가 청천강에서 영흥만에 이르는 지역까지 넓어졌다.
| 바로 알기 | ①은 성종 이후 정비된 고려의 지방 행정 제도이다. ②는 서희와 거란 장수 소손녕과의 담판 결과이고, ③은 윤관의 여진 정벌 결과이다. ④는 공민왕의 반원 자주 정책의 결과이다.

4 (가)는 광종이다. 광종은 쌍기 등 귀화인을 등용하여 과거제를 실시해 인재를 관리로 등용하였고, 관리의 위계질서를 확립하기 위해 공복 색깔을 새롭게 정하였다. 호족의 세력 기반을 약화시키기 위해 노비안검법을 실시하여 호족이 불법으로 차지한 노비를 양인으로 해방하였다.
| 바로 알기 | ①, ③, ⑤는 태조에 대한 설명이고, ④는 성종에 대한 설명이다.

5 제시된 글은 최승로가 유교를 통치 이념으로 삼을 것을 건의한 시무 28조의 일부이다. 최승로는 신라 6두품 출신의 유학자로 유교 사상에 입각한 28조의 개혁안을 성종에게 건의하였다. 성종은 시무 28조를 받아들여 유교를 통치의 근본이념으로 삼았다.

6 지도의 (가) 지역은 양계이다. 고려는 국경 지역에 양계를 두어 병마사를 파견하였고, 국경 경비를 담당한 주진군을 두었다.
| 바로 알기 | ①은 5도로 주현군이 방어하였다. ③은 청천강에서 영흥만에 이르는 지역이다. ④ 12목은 전국 주요 지역에 설치되었다. ⑤는 철령 이북 지역이다.

7 중서문하성과 중추원의 고위 관료들은 도병마사와 식목도감에서 국가의 중요한 일을 논의하였다. (가) 도병마사에서는 주로 국방과 군사 문제를 논의하였고, (나) 식목도감에서는 제도와 시행 규칙을 제정하였다.

8 이자겸의 난 이후 인종은 개혁을 위해 정지상과 묘청 등 서경 출신의 인물들을 등용하였다. 묘청 등은 인종에게 황제가 되어 독자적인 연호를 사용하라고 건의하였으며, 풍수지리설에 따라 수도를 서경으로 옮기자고 주장하였다. 하지만 김부식 등이 비현실적이라고 비판하면서 서경 천도 주장이 점점 힘을 잃어 가자, 묘청은 서경에서 반란을 일으켰다.

| 바로 알기 | ①은 정중부 등, ③은 이자겸, ④는 최충헌, ⑤는 만적에 적절한 내용이다.

9 무신 정권이 성립한 후 무신들의 권력 다툼으로 정치가 혼란하였고, 신분 질서가 크게 흔들렸다. 이러한 상황에서 사노비였던 만적은 신분 해방을 목적으로 봉기를 계획하였으나, 사전에 발각되어 실패하였다.

| 바로 알기 | ②는 신라 말의 호족, ③은 신라 말에 지방에서 왕위 쟁탈전을 일으킨 인물, ④는 무신 정권에 대항하여 봉기한 고려 공주 명학소의 주민, ⑤는 신라 말에 농민 봉기를 일으킨 농민들이다.

10 지도의 (가) 지역은 강동 6주이다. 거란이 고려를 침략하자, 고려의 일부 신하들은 거란에 북쪽 영토를 떼어 주고 강화를 맺자고 주장하였다. 이에 반대한 서희는 거란의 장수 소손녕과 외교 담판에 나섰다. 그 결과 고려는 송과 관계를 끊고 거란을 적대시하지 않는 대신, 압록강 동쪽의 강동 6주를 고려의 영토로 인정받았다.

| 바로 알기 | ②는 동북 9성, ③은 완도, ④는 청천강에서 영흥만에 이르는 지역, ⑤는 철령 이북 지역이다.

11 거란의 1차 침입 때 서희가 외교 담판을 벌여 송과 관계를 끊기로 약속하며 강동 6주를 확보하였다. 그러나 고려가 송과 친선 관계를 지속하자 거란은 거듭하여 고려를 침략하였다. 그렇지만 강감찬이 이끄는 고려군에게 귀주에서 패하였다. 이후 고려는 나성과 천리장성을 쌓아 북방 민족의 침략에 대비하였다.

12 제시된 글은 고려의 전시과에 대한 설명이다. 고려는 관리를 18등급으로 나누어 전지와 시지의 수조권을 지급하는 전시과를 실시하였다. 고려에서는 벽란도가 국제 무역항으로 번성하였는데, 이때 아라비아 상인도 들어와 교역하였다.

| 바로 알기 | ①은 변한 또는 금관가야, ②, ④는 통일 신라, ⑤는 발해의 대외 교류에 대한 설명이다.

13 제시된 자료는 1253년에 벌어진 충주성 전투에 관한 것이다. 충주성 전투에서 김윤후는 노비 문서를 불태워 노비들의 사기를 북돋워 주었고, 그 결과 노비들은 끝까지 충주성을 지키며 몽골군을 물리쳤다. 몽골과 강화한 후 고려 정부는 1270년에 개경으로 환도하였다.

14 자료의 (가)는 몽골이다. 몽골의 침략에 맞서 최씨 정권은 수도를 강화도로 옮겨 항전을 준비하였고, 처인성에서는 김윤후와 처인 부곡 주민들이 적장 살리타를 죽이는 성과를 거두었다. 한편 강화도에 있던 최씨 정권은 팔만대장경 제작 사업을 전개하여 민심을 얻고 불교의 힘으로 몽골의 침입을 막아 내고자 하였다. 무신 정권의 군사적 기반이었던 삼별초는 개경 환도를 거부하고 대몽 항쟁을 지속하였다.

| 바로 알기 | ④ 고려는 거란의 세 차례 침입을 격퇴한 후 나성과 천리장성을 쌓아 북방 민족의 침략에 대비하였다.

15 원 간섭기에 고려 남자들은 몽골식 머리(변발)를 하고 원에서 유행한 발립을 썼으며 철릭을 입었다. 음식은 몽골의 만두(상화), 소주 등이 고려에 소개되었다. 몽골의 궁중 용어인 수라, 무수리 등이 고려에 전해졌는데, 이렇게 고려에 전해진 몽골의 풍습을 몽골풍이라고 한다.

16 밑줄 친 '그'는 공민왕이다. 공민왕은 자주성을 회복하기 위해 기철을 비롯한 친원 세력을 제거하고, 정동행성이문소를 폐지하였으며, 격하된 고려 왕실의 호칭과 관제를 복구하고 원의 풍습을 금지하였다. 쌍성총관부를 공격하여 철령 이북의 영토를 되찾았다. 한편 권문세족이 빼앗은 토지와 노비를 원래 주인에게 돌려주고 강제로 노비가 된 사람들을 해방하였다.

| 바로 알기 | ⑤ 명이 고려가 회복한 철령 이북의 땅을 자신들이 지배하겠다고 고려에 통보하자, 우왕은 최영을 최고 사령관으로 삼아 요동 정벌을 추진하였다.

17 (가)는 권문세족이다. 원 간섭기에 등장한 권문세족은 자신의 권력을 이용하여 남의 토지와 노비를 빼앗아 농장을 경영하고, 가난한 백성을 노비로 만들어 자신의 토지에서 일하게 하였다.

| 바로 알기 | ①은 무신, ②, ③은 신진 사대부, ⑤는 신흥 무인 세력에 대한 설명이다.

18 (가)에는 이색, 정몽주 등 새 왕조 개창에 반대한 신진 사대부들이, (나)에는 정도전, 조준 등 새 왕조 개창을 주장한 신진 사대부들이 들어가야 한다. 신진 사대부는 위화도 회군 이후 개혁 방향을 놓고 분열하였다. 이색, 정몽주 등은 고려 왕조를 유지하면서 개혁해야 한다고 주장한 반면, 정도전, 조준 등은 고려 왕조를 없애고 새로운 왕조를 세워야 한다고 주장하였다.

| 바로 알기 | ① 기철, 이인임 모두 권문세족이고, ② 묘청은 서경 세력, 김부식은 개경 세력이다. ③ 이자겸은 대표 문벌, 정지상은 서경 세력이다. ⑤ 정중부와 최충헌은 모두 무신 정권을 이끈 무신이다.

19 고려에서 가족과 친족은 성별이나 혼인 여부와 관계없이 각자의 혈연이 중심이었다. 그리하여 아들과 딸, 남편과 부인이 평등한 관계를 유지하였다. 고위 관리의 사위나 조카, 친손자와 외손자도 모두 음서의 대상이 되었다. 족보에는 친손과 외손을 모두 기록하였고, 호적에는 태어난 순서대로 적어 남녀 간에 차별을 두지 않았다.

| 바로 알기 | ② 고려에서 남성과 여성은 모두 이혼을 요구할 수 있었고, 부부 중 한쪽이 사망할 경우 재혼하는 것을 당연하게 여겼다.

20 제시된 주장은 모두 지눌의 주장이다. 지눌은 불교가 왕실과 귀족의 지원을 받는 과정에서 대토지 소유, 승려의 세속화 등 사회적인 폐단을 낳자, 불교의 세속화를 비판하며 수선사를 중심으로 불교 개혁 운동을 펼쳤다.

| 바로 알기 | ①은 신라 원효, ②는 신라 혜초, ③은 고려 의천, ④는 신라 의상에 대한 설명이다.

21 자료의 출처인 (가)는 『삼국유사』이다. 일연은 삼국의 역사와 함께 전설, 야사, 신화 등 『삼국사기』에서 누락된 내용까지 정리해 실었는데, 이 결과 처음으로 단군의 건국 이야기가 『삼국유사』에 수록되었다.

| 바로 알기 | ①, ⑤는 이규보의 「동명왕편」, ②, ③은 김부식의 『삼국사기』에 대한 설명이다.

22 제시된 개성 경천사지 10층 석탑은 원 간섭기에 원의 영향을 받아 만들어졌다. 당시에 고려 왕은 원 황실의 부마(사위)로, 시호는 격하되어 충○왕이었다. 당시 지배 세력으로 등장한 권문세족은 불법적으로 농장을 확대하는 등의 폐단을 일으켰다.
| 바로 알기 | ㄴ은 고려 전기의 모습이다. ㄹ은 공민왕에 의한 반원 자주 개혁이 실현된 후 고려 멸망 직전의 사실이다.

23 ㈎는 『직지심체요절(직지)』과 관련된 것이다. 『직지심체요절』은 금속 활자로 인쇄한 세계에서 가장 오래된 책으로, 백운 화상의 제자들이 1377년에 청주 흥덕사에서 스승이 쓴 책을 금속 활자로 인쇄한 것이다. 『직지심체요절』은 대한 제국 시기에 프랑스로 반출되어 현재는 프랑스 국립 도서관에 있다.

대단원별 **서술형** 문제

1 | 예시 답안 | 구석기 시대. 구석기 시대 사람들은 먹을 것을 찾아 이동 생활을 하여 동굴, 바위 그늘, 막집 등에서 살았다.

구분	채점 기준
상	구석기 시대를 쓰고, 당시 주거 생활을 옳게 서술한 경우
하	구석기 시대만 쓰거나 주거 생활만 옳게 서술한 경우

2 | 예시 답안 | (신석기 시대 사람들은) 농경과 목축을 통해 식량을 생산하기 시작하였다. 토기를 만들어 음식을 조리하고 식량을 저장하였다. 가락바퀴를 이용하여 실을 잣고 옷이나 그물을 만들었다.

구분	채점 기준
상	신석기 시대의 생활 모습을 세 가지 모두 옳게 서술한 경우
중	신석기 시대의 생활 모습을 두 가지만 옳게 서술한 경우
하	신석기 시대의 생활 모습을 한 가지만 옳게 서술한 경우

3 | 예시 답안 | (고조선이 건국될 당시는) 농업 사회였으며, 특정 동물을 숭배하는 신앙이 있었고, 제정일치의 지배자가 있었다.

구분	채점 기준
상	고조선 건국 당시의 사회 모습을 세 가지 모두 옳게 서술한 경우
중	고조선 건국 당시의 사회 모습을 두 가지만 옳게 서술한 경우
하	고조선 건국 당시의 사회 모습을 한 가지만 옳게 서술한 경우

4 | 예시 답안 | 한반도에서 독자적으로 세형 동검을 제작하였다

구분	채점 기준
상	세형 동검을 포함하여 (가)에 들어갈 내용을 옳게 서술한 경우
중	청동검만 포함하여 (가)에 들어갈 내용을 서술한 경우
하	세형 동검만 쓴 경우

5 (1) (가) 영고 (나) 동맹 (라) 무천
(2) | 예시 답안 | (다) 옥저 (라) 동예. 옥저와 동예에는 왕이 없었고, 읍군 또는 삼로라고 불리는 군장이 각 지역을 다스렸다.

구분	채점 기준
상	(다), (라) 국가의 기호와 이름을 옳게 쓰고, 정치적 특징도 옳게 서술한 경우
중	(다), (라) 두 국가의 기호와 이름만 옳게 쓰거나 정치적 특징만 옳게 서술한 경우
하	(다), (라) 국가의 기호만 옳게 쓴 경우

6 | 예시 답안 | 전진에서 불교를 수용해 나라의 사상을 하나로 통합하고 왕실의 권위를 높였다. 율령을 반포하여 통치 조직을 정비하였으며, 교육 기관인 태학을 설립해 인재를 양성하였다.

구분	채점 기준
상	소수림왕의 체제 정비 내용을 세 가지 모두 옳게 서술한 경우
중	소수림왕의 체제 정비 내용을 두 가지만 옳게 서술한 경우
하	소수림왕의 체제 정비 내용을 한 가지만 옳게 서술한 경우

7 | 예시 답안 | 근초고왕. 근초고왕은 마한의 남은 세력을 복속하였으며, 고구려의 평양성을 공격하여 고국원왕을 전사시키고 황해도 일부 지역까지 영토를 넓혔다.

구분	채점 기준
상	근초고왕을 쓰고, 그 왕의 활동을 두 가지 모두 옳게 서술한 경우
중	근초고왕을 쓰고, 그 왕의 활동을 한 가지만 옳게 서술한 경우
하	근초고왕만 쓰거나 그 왕의 활동을 한 가지만 옳게 서술한 경우

8 | 예시 답안 | 금관가야 쇠퇴, 신라는 고구려의 간섭을 받게 됨

구분	채점 기준
상	(가)에 들어갈 내용을 두 가지 모두 옳게 쓴 경우
하	(가)에 들어갈 내용을 한 가지만 옳게 쓴 경우

9 | 예시 답안 | 화랑도. 진흥왕은 고구려와 백제로부터 한강 유역을 빼앗아 장악하였으며, 대가야를 포함한 가야 연맹을 정복하였고, 황룡사를 지어 국력을 과시하였다.

구분	채점 기준
상	화랑도를 쓰고, 진흥왕의 활동을 두 가지 모두 옳게 서술한 경우
중	화랑도를 쓰고, 진흥왕의 활동을 한 가지만 옳게 서술한 경우
하	화랑도만 쓰거나, 진흥왕의 활동을 적어도 한 가지 옳게 서술한 경우

10 | 예시 답안 | 신라의 관등은 골품에 따라 승진하는 데 제한이 있었다. 따라서 신라의 신분제인 골품제는 신라인의 정치 활동을 제한하는 특징이 있었다.

구분	채점 기준
상	조건 두 가지를 모두 포함하여 골품제가 갖는 특징을 옳게 서술한 경우
중	조건 두 가지 중 한 가지만 포함하여 골품제가 갖는 특징을 옳게 서술한 경우
하	조건을 포함하지 않고 골품제가 갖는 특징을 옳게 서술한 경우

11 | 예시 답안 | (가) 고구려 (나) 고구려가 서역과 교류하였음을 알 수 있다.

구분	채점 기준
상	(가) 고구려를 쓰고, (나)에 들어갈 내용을 옳게 서술한 경우
하	(가) 고구려만 쓴 경우

II 남북국 시대의 전개
p. 84~85

1 | **예시 답안** | 고구려는 우수한 제철 기술로 강력한 철제 무기와 갑옷을 만들어서 고구려 병사의 전투력을 높였으며, 견고한 산성을 이용한 방어 전술을 펴서 수, 당의 침략을 막아 냈다.

구분	채점 기준
상	고구려가 수와 당의 침입을 물리칠 수 있었던 원동력 두 가지를 옳게 서술한 경우
하	고구려가 수와 당의 침입을 물리칠 수 있었던 원동력 중 한 가지만 옳게 서술한 경우

2 | **예시 답안** | 신라는 마침내 한반도 전체를 지배하려는 당의 침략을 물리치고 삼국 통일을 완성하였다. 하지만 삼국 통일 과정에서 당의 세력을 끌어들여 고구려 영토였던 요동과 만주 지역을 잃고 대동강 이남 지역만 차지하였다.

구분	채점 기준
상	지도에서 알 수 있는 삼국 통일의 의의와 한계를 모두 옳게 서술한 경우
하	지도에서 알 수 있는 삼국 통일의 의의나 한계 중 한 가지만 서술한 경우

3 | **예시 답안** | 고구려를 계승한 발해가 고구려 옛 땅에 세워지면서 남쪽에는 신라, 북쪽에는 발해라는 남북국의 형세가 이루어져 우리 역사에 남북국 시대가 열렸다.

구분	채점 기준
상	발해의 고구려 계승, 남북국 시대의 형성을 모두 옳게 서술한 경우
하	발해가 고구려를 계승하였다거나 남북국의 형세를 이루었다고만 서술한 경우

4 | **예시 답안** | (가) 관료전 (나) 녹읍. 관료전은 수조권만 주었지만 녹읍은 수조권과 함께 노동력을 징발할 수 있는 권한까지 주었다.

구분	채점 기준
상	(가) 관료전 (나) 녹읍이라고 쓰고, 녹읍의 특징을 관료전과 비교하여 옳게 서술한 경우
중	녹읍의 특징만 관료전과 비교하여 옳게 서술한 경우
하	(가) 관료전 (나) 녹읍만 쓴 경우

5 | **예시 답안** | 귀족 회의인 화백 회의의 기능 축소, 귀족 대표인 상대등의 권위 약화

구분	채점 기준
상	정치적 변화를 두 가지 모두 옳게 서술한 경우
하	정치적 변화를 한 가지만 옳게 서술한 경우

6 | **예시 답안** | 9서당. 9서당에는 신라인뿐만 아니라 고구려 유민, 백제 유민, 말갈인을 포함하여 민족 융합을 꾀하였다.

구분	채점 기준
상	9서당을 쓰고, 9서당의 특징도 모두 옳게 서술한 경우
중	9서당을 쓰지 못하였지만, 9서당의 특징은 옳게 서술한 경우
하	9서당만 쓴 경우

7 | **예시 답안** | 발해의 3성은 정당성을 중심으로 운영하였고, (정당성 아래 6부를 두어 행정 실무를 담당하게 하였으며,) 6부의 명칭으로 유교의 덕목을 사용하였다.

구분	채점 기준
상	발해 중앙 정치 제도가 독자적이라는 근거를 두 가지 모두 옳게 서술한 경우
하	발해 중앙 정치 제도가 독자적이라는 근거를 한 가지만 옳게 서술한 경우

8 | **예시 답안** | 신라 말 진골 귀족의 왕위 다툼이 일어나고 지방 세력까지 왕위 쟁탈전에 개입하면서 정치가 혼란하여 중앙 정부의 지방에 대한 통제력이 약화되었다. 정치적 혼란 속에서 귀족의 수탈이 더욱 심해져 지방에서는 농민이 봉기하였고, 호족이 성장하였다.

구분	채점 기준
상	제시된 사건이 중앙 정치에 끼친 영향과 지방 사회에 끼친 영향을 모두 옳게 서술한 경우
하	제시된 사건이 중앙 정치에 끼친 영향이나 지방 사회에 끼친 영향 중 한 가지만 옳게 서술한 경우

9 | **예시 답안** | 6두품. 개인의 능력보다 혈통을 중시하는 골품제로 인해 고위 관직 진출에 제한을 받았던 6두품 세력은 신라 말에 골품제를 비판하며 정치 개혁을 주장하였다.

구분	채점 기준
상	6두품을 쓰고, 6두품이 신라 말에 개혁을 주장한 이유도 옳게 서술한 경우
중	6두품을 쓰지 못하였으나, 6두품이 신라 말에 개혁을 주장한 이유는 옳게 서술한 경우
하	6두품만 쓴 경우

10 | **예시 답안** | 선종. 경전과 교리를 중시한 교종과 달리 일상의 있는 그대로의 마음을 중요하게 여겨 호족과 백성에게 큰 호응을 얻은 선종은 새로운 사회를 건설하려는 호족의 사상적 기반이 되었다.

구분	채점 기준
상	선종을 쓰고, 선종의 유행이 신라 사회에 끼친 영향을 옳게 서술한 경우
중	선종을 쓰지 못하였으나, 선종의 유행이 신라 사회에 끼친 영향은 옳게 서술한 경우
하	선종만 쓴 경우

11 | **예시 답안** | 발해 문화는 고구려 문화를 기반으로 당의 문화를 받아들이고 말갈의 토착 문화를 흡수한 국제적인 문화였다.

구분	채점 기준
상	고구려·당·말갈 문화를 언급하며 발해 문화의 특징을 옳게 서술한 경우
하	국제적인 문화라는 발해 문화의 특징만 서술한 경우

12 | **예시 답안** | 원성왕릉 무인석은 (머리에 쓴 터번과 곱슬머리, 오뚝한 콧날 등) 서역인의 모습을 하고 있어 신라와 서역의 교류를 짐작하게 한다.

구분	채점 기준
상	원성왕릉 무인석의 특징을 서술하고, 원성왕릉 무인석을 통해 추론할 수 있는 신라의 대외 관계를 옳게 서술한 경우
중	원성왕릉 무인석의 특징을 서술하지 않고, 원성왕릉 무인석을 통해 추론할 수 있는 신라의 대외 관계만 옳게 서술한 경우
하	원성왕릉 무인석의 특징만 옳게 서술한 경우

Ⅲ 고려의 성립과 변천   p. 86~87

1 | 예시 답안 | 노비안검법. 광종은 호족 세력을 견제하고 왕권을 강화하기 위하여 노비안검법을 실시하였다.

구분	채점 기준
상	노비안검법을 쓰고, 노비안검법을 실시한 목적을 옳게 서술한 경우
중	노비안검법은 쓰지 못하였으나, 노비안검법을 실시한 목적은 옳게 서술한 경우
하	노비안검법만 쓴 경우

2 | 예시 답안 | 성종은 최승로가 건의한 시무 28조를 받아들여 지방에 12목을 설치하고 지방관을 파견하였다. 불교와 토착 신앙 행사를 억제하여 재정의 낭비를 줄였으며 유교를 통치의 근본이념으로 삼았다.

구분	채점 기준
상	제시된 개혁안이 고려에 끼친 영향을 세 가지 모두 옳게 서술한 경우
중	제시된 개혁안이 고려에 끼친 영향을 두 가지만 옳게 서술한 경우
하	제시된 개혁안이 고려에 끼친 영향을 한 가지만 옳게 서술한 경우

3 | 예시 답안 | 음서는 왕족과 공신의 후손, 5품 이상 고위 관리의 자손이 시험을 보지 않고 관리가 될 수 있는 제도였다. 따라서 고위 관리는 음서를 통해 지위를 세습할 수 있었다.

구분	채점 기준
상	판서 내용을 토대로 음서의 특징을 옳게 서술한 경우
하	판서 내용을 토대로 하지 않고 음서의 특징을 서술한 경우

4 | 예시 답안 | (묘청의) 서경 천도 운동. 묘청 등이 서경에서 반란을 일으켰으나, 김부식이 이끄는 관군에게 진압되었다.

구분	채점 기준
상	서경 천도 운동을 쓰고, 서경 천도 운동의 결과도 옳게 서술한 경우
중	서경 천도 운동은 쓰지 못하였지만, 서경 천도 운동의 결과는 옳게 서술한 경우
하	서경 천도 운동만 쓴 경우

5 | 예시 답안 | 문벌의 권력 독점에 따라 무신에 대한 차별이 심해졌다. 하급 군인은 토지를 제대로 지급받지 못하고 각종 공사에 동원되어 불만이 커졌다. 의종은 문벌의 반발로 왕권 강화에 실패하자 연희와 놀이에 빠졌다.

구분	채점 기준
상	제시된 사건이 일어난 배경을 세 가지 모두 옳게 서술한 경우
중	제시된 사건이 일어난 배경을 두 가지만 옳게 서술한 경우
하	제시된 사건이 일어난 배경을 한 가지만 옳게 서술한 경우

6 | 예시 답안 | 만적. 신분 해방을 목적으로 봉기를 계획하였다는 점에서 당시 신분 질서가 크게 흔들렸고 신분 상승에 대한 백성의 기대감이 컸음을 보여 준다.

구분	채점 기준
상	만적을 쓰고, 이 사건의 의의를 옳게 서술한 경우
중	만적은 쓰지 못하였으나, 이 사건의 의의는 옳게 서술한 경우
하	만적만 쓴 경우

7 | 예시 답안 | 윤관의 건의에 따라 고려는 기병 부대인 신기군과 함께 보병 부대인 신보군, 승병 부대인 항마군으로 편성된 특수 부대로 별무반을 편성하였다.

구분	채점 기준
상	윤관을 포함하여 고려의 대책을 모두 옳게 서술한 경우
중	윤관은 포함하지 않으나 고려의 대책을 옳게 서술한 경우
하	윤관만 쓴 경우

8 | 예시 답안 | 고려는 거란을 견제하고 경제적·문화적 실리를 얻으려고 송과 우호적인 관계를 지속하였다. 송은 거란과 여진을 견제하기 위해 고려와 친선 관계를 유지하려 하였다.

구분	채점 기준
상	고려와 송이 우호 관계를 맺은 목적을 모두 옳게 서술한 경우
하	고려와 송이 우호 관계를 맺은 목적 중 한 국가의 것에 대해서만 옳게 서술한 경우

9 | 예시 답안 | 공민왕은 원의 내정 간섭 기구였던 정동행성이문소를 폐지하였다. 격하된 고려 왕실의 호칭과 관제를 복구하고, 원의 풍습(몽골풍)을 금지하였다.

구분	채점 기준
상	공민왕이 실시한 반원 정책의 내용을 세 가지 모두 옳게 서술한 경우
중	공민왕이 실시한 반원 정책의 내용을 두 가지만 옳게 서술한 경우
하	공민왕이 실시한 반원 정책의 내용을 한 가지만 옳게 서술한 경우

10 | 예시 답안 | 위화도 회군으로 이성계가 고려의 정치·군사적 실권을 장악하였다. 이후 신진 사대부는 고려 사회의 개혁 방법을 놓고 분열하였다. 이색, 정몽주 등은 고려의 제도를 회복하는 방식으로 사회 문제를 해결하자고 주장한 반면, 정도전, 조준 등은 새 왕조를 세워야 한다고 주장하였다.

구분	채점 기준
상	위화도 회군의 결과와 이후 있었던 신진 사대부의 대립을 모두 옳게 서술한 경우
중	위화도 회군 이후 있었던 신진 사대부의 대립만 옳게 서술한 경우
하	위화도 회군의 결과만 옳게 서술한 경우

11 | 예시 답안 | 삼국유사. 처음으로 단군의 건국 이야기를 기록하였다.(제왕운기. 단군 조선을 우리 역사상 최초의 국가로 기록하였다.)

구분	채점 기준
상	역사서의 이름을 옳게 쓰고 그 특징을 단군이라는 단어가 포함된 한 문장으로 옳게 서술한 경우
중	역사서의 이름은 옳게 쓰지 못하였으나 그 특징은 단군이라는 단어가 포함된 한 문장으로 옳게 서술한 경우
하	역사서의 이름만 옳게 쓴 경우

12 | 예시 답안 | 영주 부석사 무량수전은 기둥이 가운데가 볼록한 배흘림기둥으로 되어 있고, 기둥 위에만 공포를 두는 주심포 양식으로 지어진 건물로, 고려 불교 건축의 우수성을 보여 준다.

구분	채점 기준
상	영주 부석사 무량수전의 특징과 역사적 의미를 모두 옳게 서술한 경우
중	영주 부석사 무량수전의 특징만 옳게 서술한 경우
하	영주 부석사 무량수전의 역사적 의미만 옳게 서술한 경우

내·공·의·힘·시·리·즈   단기간에 핵심만 빠르게, 내신 만점을 위한 공부법을 제시합니다.

대표전화 1544-0554
주소 서울특별시 구로구 디지털로33길 48 대륭포스트타워 7차 20층
협의 없는 무단 복제는 법으로 금지되어 있습니다.